U0147653

中國近代報刊研究叢書

# 《德文新報》研究（1886-1917）

## 上冊

牛海坤　著

# 目次

## 下冊

# 序

鄭涵晚清至民國，在中國近代報業史演進過程中，西方報業傳統的跨文化影響是一個非常顯著的現象，構成了中國近代報業制度變遷十分重要的一個環節。就新聞專業傳統而言，尤其如此，而近代上海則是透視這一歷史演變的特殊樞紐。在十九世紀至二十世紀初這一段歷史時期內，在華外文報刊成為近代上海報業的重鎮所在，《德文新報》具有舉足輕重的地位，可惜，迄今鮮有嚴肅的學術研究。本書不僅有助於推進近代中國報業史研究，而且可以為中國近代史研究提供一點基礎性的學術參考。

在中國報業史學領域，重視在華外文報刊研究，視之為近代中國報業史研究的基礎之一，這成為一種共識。然而，毋庸置疑的是，現有學術研究對於這一基礎缺乏深入細緻的關注，空白甚多。相對而言，在華英文報刊獲得更多檢討。與此同時，屬於盎格魯撒克遜報業傳統的新聞專業主義及其理念在近代中國逐步據有主導地位。由於對於在華英文報刊研究相對較多，對於其它在華外文報刊研究之缺失，因此，上海近代報業史比較完整而又深厚的景觀難以建構。另外，英美新聞專業主義理念之流行是否積澱而為一種潛意識，史學家是否在有意無意之間戴上這一「有色眼鏡」觀察歷史，從而損害其學術研究之客觀性，使得近代中國報業的歷史陳述呈現一定程度的「曲折度」，進而，或者顯而易見，或者悄無聲息地影響到有關歷史陳述之結論？

在此視野之下，牛海坤小姐的《〈德文新報〉研究（1886-1917）》，其價值就不止是填補空白了。該著作具有相當尖銳的問題意識，以質化和量化相結合的方法，較為細膩地深度考察了該份報刊。與此同時，盡力進行一些歷史考證，其中有的還糾正了學界之成見。鑒於相關史料極其匱乏，能有這樣一些歷史辯證，實屬不易。研究工作開始階段，余很擔心此點，海坤小姐也長時期處於艱難的史料發掘和苦悶之中。現在，可以有所釋然。

二〇〇七年秋，海坤小姐隨余學習，每日耗時十多小時進行理論閱讀，三個多月後，即轉入學位論文研究工作，不管酷暑嚴寒，潛心學問，基本沒有節假日，其追求學問的精神令人滿意。

學者以學問為之志業，脫離低級趣味，滿懷感恩，純粹地求索，不遺餘力。很美麗，但是，也殘酷。

如此要求學生，有時覺得不近人情。然而，海坤小姐卻心嚮往之。

衷心祝願海坤小姐在未來漫長的學術生涯中快樂，繼續有所作為，為了真理，也為了美，為了善。

鄭涵

二〇一一年十二月於上海大學

# 第一章
# 緒論

十九世紀後半葉是中國近代報業起步的時期，在這一發展過程中，外文報刊[1]佔據了主導地位，是中國近代報刊產生與發展的先導。但是，在中國近代報刊史論著中，有關在華外文報刊的研究著墨很少，其中對其它小語種在華外文報刊的研究更是鳳毛麟角，多數關於在華外報的論述只是停留在簡單甚至含混不清的層面上。

近年來，已有學者針對部分近代在華小語種外文報刊做出專門研究，這些研究對象包括俄文、日文、法文、葡萄牙文及猶太人辦德文報刊等。然而，遺憾的是，德國人在華新聞事業中最重要的《德文新報》（Der Ostasiatische Lloyd）卻不在此列。

十九世紀後半期，英美報刊宣揚客觀、公正的新聞報導原則，這成為英美新聞專業傳統的主要原則。在中國，《德文新報》卻明確堅持以「遠東地區德國人利益之音」（„Organ für die deutschen Interessen im fernen Osten.“）為辦報宗旨。[2]這不僅意味著近代德國報業的辦報

1　關於「報紙」、「雜誌」與「報刊」，卓南生先生在其著述中做過相關解釋：其一，十九世紀萌芽期的近代中國報業，「報紙」和「雜誌」尚未嚴格區分，泛稱為「報刊」；其二，報紙的出版日期由長而短，從月刊逐步發展為日刊；其三，從版面形式或內容變化等方面來看，當時的月刊與後來的日報前後相互影響，有不可分割的關係（卓南生：《中國近代報業發展史：1815-1874》〔北京市：中國社會科學出版社，2002年5月〕）。筆者根據卓南生先生的解釋，並聯繫十九世紀至二十世紀近代定期出版物的特點和《德文新報》自身的特點，在本文中將彼時的外文定期出版物統稱為「報刊」。就《德文新報》而言，這份刊物同時呈現出報紙與雜誌的多種特點，因而本文對《德文新報》同樣稱以「報刊」。

2　根據《德文新報》最後一任主編芬克（Carl Fink）在《德文新報》創刊二十五週年

傳統和理念進入到近代中國，而且為近代中國報業制度的建構和新聞專業傳統的形成添加了新內容。在近代中國外文報刊領域，英美新聞業的辦報理念佔據主導地位。在此歷史語境之下，帶著一種截然不同姿態的《德文新報》又是如何生存並發展下去的呢？

## 第一節　選題價值與問題意識

《德文新報》誕生於近代上海公共租界，在有資料可查的、中文世界的中國近代報刊史類的相關論述中，幾乎無一例外地稱其為近代中國報刊史上最重要的一份德文報刊。然而，在諸多關於中國近代報刊史研究文獻中，有關《德文新報》的相關研究卻呈現眾說紛紜的狀況，語焉不詳，相當浮光掠影。

學界較為普遍地認為，《德文新報》在中國社會產生的影響不大。客觀原因可能是，其一，《德文新報》所服務的讀者對象有明確的針對性，受眾群體有限；其二，該報在一定程度上承襲了十九世紀末德國報業的發行習慣，以訂閱為主，這就限制了報刊的發行量[3]；其三，該報以德文出版，而「華人能通德文者極少」[4]這一因素，也必然使其無法在中國人居住之地被沿街叫賣。雖然，總體而論，《德文新報》在中國社會產生的影響不大，但是，至少該報在近代中國報

紀念文章中的說法，「遠東地區德國人利益之音」（Organ für die Deutschen Interessen im fernen Osten.）是《德文新報》報名之下的副標題。（Der Ostasiatische Lloyd. 6. Januar 1911, S. 2.）這一副標題被注明在每期《德文新報》報名之下的位置。筆者認為，這一副標題恰好闡明了《德文新報》的辦報宗旨，即為遠東地區德國人之利益服務。

3 後文將針對《德文新報》受眾群體及德文報刊發行傳統分別加以論述。

4 王光祈：〈王光祈旅德存稿〉，《民國叢書》（上海市：中華書局，1936年，上海書店影印本），第五編－75，頁266。

業制度和新聞專業傳統的建構方面還是存在不容忽視的作用。《德文新報》究竟是怎樣一份報刊？有怎樣的證據可以詮釋該份報刊確有重要性呢？無疑，這是值得研究的近代中國報刊史問題。如果停留在片言隻語的評述上，沒有足夠的原始資料，真相往往因此被掩埋，那麼中國近代報刊史將遺憾地留有一段空白。

關於在華外文報刊在近代中國新聞事業史中的地位和意義這一問題，一直以來，學界都予以相應的肯定。但是，同時又必須看到，這種肯定往往是一言帶過的泛泛之論。另一方面，由於這些外文報刊產生和存在的歷史時期有其特殊性，它們又多被冠以「帝國主義侵華工具」或「帝國主義喉舌」之類的名號。方漢奇先生對此也有過相關闡述：「……對在中國辦報的那些外國人的評價也有點簡單化，一刀切，給讀者的印象是，所有參加辦報活動的外國人，一律都是帝國主義的文化特務和鷹犬。」[5]至於真實情況是否如此，在多大程度上如此，有多少在華外文報刊如此，則沒有明確解釋。實際上，這需要非常細緻、深入、謹慎的史學研究，首先是一張一張地研究、分析那些被記錄在近代中國報刊史上的重要的報刊。與此同時，有國外文獻記錄：「儘管數量不多，但在華的外國新聞工作者還是處處顯示著其與中國社會之間的關係。他們擁有遠見卓識，但很明顯，他們也在盡力掩飾著自己名義上的重要性與對中國社會實際影響之間的鴻溝。」[6]對此，有學者已經提出如下觀點：「外國人在華辦報是中國近代報業的濫觴這樣一個命題，本是不爭的事實；我們沒有必要因傳教士辦報

5 方漢奇：《新聞史的奇情壯彩》（北京市：華文出版社，2000年），頁326。轉引自饒立華：《流亡者的報刊──《上海猶太紀事報》研究》（北京市：新華出版社，2003年），前言2。

6 Albert Feuerwerker. The Foreign Establishment in China in the Early Twentieth Century. Michigan Papers in Chinese Studies No. 29 [C]. Michigan: The University of Michigan Lane Hall (Publications), 1976: 99.

和列強文化入侵等問題而予以遮掩。相反，我們應當毫不猶豫地予以肯定，進而深入探索和分清其中的矛盾，釐清其複雜之處。」[7]

就現有的中國近代報刊史研究成果來看，一方面，有關近代在華外文報刊的論述偏重於英美人所辦的英文報刊，這就使得學界對在華外報的認識不自覺地帶上了一種英美報業的視角；另一方面，最初在中國出版的中文報刊多數出自英美傳教士或商人之手，由此導致有關外國人辦中文報刊的研究結論也往往受英美報業傳統所影響。然而，以近代報刊業最為發達的城市上海為例，在外國人聚集的各個租界裏，從事報刊主辦、編輯、出版、發行等相關活動的不僅限於英美人，德國、法國、俄國以及東方的日本都有各自的在華新聞出版物。[8]雖然，英美報刊佔據了在華外報的絕大多數，並且辦報實力也較其它國家更強，但是，這是否意味著，我們可以以英美報業傳統的視角來看待其它在華外文報刊呢？

近年來，西方學者對於英美新聞專業傳統與歐洲大陸各國新聞專業傳統存在差異這一問題的關注程度已經越來越高。在西方學者就此問題的研究成果基礎之上，筆者不禁要問，既然西方各國之間的報業傳統和報業制度本身有所差別，他們來到中國辦報，難道卻能用同一視角來看待嗎？各個報業傳統和報業制度之間原有的差別，會因為同在中國這個客觀環境而隨之消失嗎？如果假定原有的差別的確消失了，其原因是什麼呢？如果沒有，那麼，以英美報業傳統的視角來看待整個在華外文報刊群體，所得到的結論顯然是存在缺陷的。無論以上推測孰是孰非，都需要找到證據來證明。

目前，在我國新聞史研究領域中，針對近代在華小語種外文報刊

---

7 吳文虎：〈本體迷失和邊緣越位——試論中國新聞史研究的誤區〉，《新聞大學》2007年1月，頁33-38。

8 秦紹德：《上海近代報刊史論》（上海市：復旦大學出版社，1993年），頁13。

的研究力量略顯單薄，除了屈指可數的幾本專著之外，其餘相關成果多以概括介紹為主，缺少詳細的史料考證。就上海來說，十九世紀末二十世紀初，上海租界內還存在德文、法文、俄文等小語種報刊，因而，在華外文報刊是否能夠簡單地以英美報業傳統的視角進行分析，是需要質疑的。近些年來，對小語種在華外文報刊的專門研究成果主要以個案研究為主，但是，在這其中，卻鮮見有論著提出將在華外報置於英美報業傳統與歐洲報業傳統的比較視野中進行分析。幸得目前各位學者已有的專門研究成果，筆者才能在通讀《德文新報》之後對上述問題有所思考：這份德文報刊體現出了明顯與英美報業傳統不同的特點，基本遵循了當時德國報業傳統的規範，表明近代在華外文報刊中還存在著與英美報刊不同的另一種報刊類型。那麼，《德文新報》的研究價值就顯現出來：在十九世紀與二十世紀交接的幾十年時間裏，英美與歐洲大陸各國在報業中存在的差異被移植到了中國，但目前的研究普遍倚重英美報業傳統，忽略了其它各國的報業特點，《德文新報》正是德國報業在近代中國的代表。這就說明，在那一時期，有不同的西方報業傳統注入了萌芽時期的近代中國報業之中。將這一點補充進中國報刊史，是有必要的。由此可見，若要弄清這一問題，可以借對《德文新報》的剖析為切入點，在一定程度上補充近代中國在華外報研究中的缺漏。在此基礎上，筆者也希望能夠喚起更多學者近距離關注這一報刊群體，一點一滴地將各種具有代表性的在華外文報刊的真實面目展露出來，只有將這些基礎性工作一一完成，才有可能進一步認清近代中國在華外文報刊的概念。

在針對《德文新報》本身進行思考和分析的同時，筆者還另有意外收穫：這份刊物在其公開出版的數十年中，一直對新聞業發展，尤其是中國新聞業發展變化的相關問題頗為重視，編輯部經常闢出大幅版面刊載與此相關的長篇文章，這在近代中國社會發生巨大變動[9]的前後幾年尤為明顯。《德文新報》中刊載的這些文章，不但使後世的我們能夠藉此瞭解彼時德國在華新聞活動的諸多細節，而且，更寶貴的在於，該報還投入大量精力對中國的新聞業活動進行記述和評論，許多細節是我們現有的報刊史中鮮有提到的。借由近代德國報人觀察中國新聞業（主要是報業）的視角，我們可以從新的角度去反思報刊史研究中的諸多問題。

## 第二節　文獻綜述

筆者在文章開始便指出，《德文新報》雖然是中國近代報業史中最重要的一份德文報刊，連續出版時間長達三十一年，但是，目前有關《德文新報》的專門研究依然空缺。另一方面，現有中國新聞史類的著述數十種不止，然而對《德文新報》施予的筆墨少則幾十字，至多不過五百字。[10]更遺憾的是，各類新聞通史中對該報基本信息的記述可謂五花八門，僅就該報的德文原名來說，有單詞誤拼的錯寫[11]，有未經考證的誤抄[12]。由於德語語言的限制，致使研究考證不易普遍

9 指辛亥革命。

10 現有已出版著述中，書名包含「中國新聞史」或「新聞學詞典」類字樣，大多都有對《德文新報》的介紹，在此不一一列舉。

11 《上海新聞志》中對《德文新報》德文原名的記錄為「Der Ostasiatische Iloyd」。賈樹枚主編，上海新聞志編纂委員會編：《上海新聞志》（上海市：上海社會科學院出版社，2000年），頁142。

12 戈公振先生《中國報學史》的原稿中將《德文新報》德文原名寫作「Der Ostasiatische Lloyed」，後來的著述中照抄此處錯誤的屢見不鮮（戈公振：《中國報學史》〔臺北市：臺灣學生書局，1982年〕，頁122）。寧樹藩先生雖已進行訂正，但就事實來看，正確的拼寫傳抄效果仍不理想（寧樹藩：《寧樹藩文集》〔汕頭市：汕頭大學出版社，2003年〕，頁524。

進行，抄錄中出現的筆誤也往往難以識別。再舉一例，關於這份報刊的創辦時間，據筆者不完全統計，呈現於各類著述中的說法有五種之多筆者有選擇性地統計了有關《德文新報》創刊年份的說法，有一八六六、一八八六、一八八七、一八八九、一八九五年共計五種，均未有考據。細分到具體日期，則不止五種。後文將詳細論述。。至於該報的其它信息，在各個著述中更是意見不一。以訛傳訛造成了《德文新報》散見於各處的多樣化「身世」。鑒於此種情況，為《德文新報》查明真實身份，將依據史料而得到的信息呈現出來，是本文寫作要完成的基本任務。

近些年來，在華外文報刊的專門研究逐漸受到學界的重視。方漢奇先生鼓勵這一領域的個案研究，並促成多份在華外文報刊研究結出碩果。程曼麗女士的《〈蜜蜂華報〉研究》、饒立華女士的《〈上海猶太紀事報〉研究》及趙永華女士的《在華俄文新聞傳播活動史（1898-1956）》等專門研究成為在這一領域中具有開創意義的成果。各位學者克服語言及資料查找的種種困難，為後來的研究打下紮實的基礎，並提供了同類研究值得學習的範本。馮悅女士最近的研究成果《日本在華官方報：英文〈華北正報〉（1919-1930）研究》在原始資料運用方面有了更大的突破，其嚴謹的論證使這一領域的研究更上一層樓。但是，這些研究大多從研究對象本身出發，重點介紹報刊創辦背景、報導內容及新聞業務，卻較少提及這些外文報刊本國的報業特點，因而並未使研究對象顯現出與其它國家所辦報刊的不同之處《日本在華官方報：英文〈華北正報〉（1919-1930）研究》的作者在談及該著述的主要內容時寫道：「本書旨在通過梳理這份報刊誕生的背景、創辦的過程、經營狀況、內容特色及停辦的原因和意義，展現其作為日本外務省的官方報所承擔並執行的特殊使命。同時，《華北正報》的研究還反映出二十世紀二〇年代在華外報與各國外交之間的密切關係。」[13]此外，一方面，報刊的版面中承載著豐富的歷史，因而，對報刊內容進行的分析便很容易偏向歷史事實的再現，以至於出現以報述史的結果，卻偏離了報刊研究本身，成了「歷史的報刊」[14]；另一方面，此類研究在對報刊本身的歷史進行論述時，又往往只是敘述研究對象個體的發展史，卻模糊了各個在華外文報刊所代表的不同國家的報業傳統之間存在的差異。

關於在華外文報刊的專門研究成果，另有兩篇論文：《中法新彙報》和《〈黃報〉[15]、施托菲爾和〈黃報〉中的日本觀》。因篇章限制，這兩篇文章未能對研究對象的諸多方面展開論述，但其作用是不可忽略的：這種以在華外報，尤其是以小語種在華外報為研究對象的專門論文能夠比新聞通史類著述更為詳盡地解釋某個報刊的情況，為之後的繼續研究打下基礎，提供思路。

目前國內有關近代在華德文報刊的專門研究，大多散見於各類專著的個別章節中，除前述提到的國內兩位學者以猶太人所辦德文報刊《上海猶太紀事報》（Shanghai Jewish Chronicle）和《黃報》（Die Gelbe Post）為研究對象的文章和專著之外，再無更有分量的成果。

在德國，柏林自由大學的漢學教授瓦拉文斯（Hartmut Walravens）曾在一九九六年發表過 <u>*German Influence on the Press in China*</u> 論文一篇[16]，概述性地梳理了德國近代在華新聞活動的情況，但是，其中諸

---

13 馮悅：《日本在華官方報：英文《華北正報》（1919-1930）研究》（北京市：新華出版社，2008年）。

14 語出黃旦教授〈報刊的歷史與歷史的報刊〉一文。黃旦：〈報刊的歷史與歷史的報刊〉，《新聞大學》，2007年1月，頁51-55。

15 《黃報》（Die Gelbe Post）係猶太人於一九三九年在上海創辦的德文刊物，初為半月刊，一九三九年底改為周刊，一九四〇年擴為日刊。袁志英：〈《黃報》、施托菲爾和《黃報》中的日本觀〉，《德國研究》2004年3月。

16 Hartmut Walravens 所作 German Influence on the Press in China 一文係一九九六年八

多信息未注明出處，部分細節與筆者查考的原始資料也存在矛盾。筆者在文章寫作中幸得德國幾位新聞史學教授的幫助，他們大多肯定地認為，無論對於德國新聞史還是中國新聞史，在華德文報刊都是其重要一部分，只是目前尚未有足夠多的專門研究成果出現。[17]

二○○九年，德國柏林自由大學克利斯蒂安・塔克斯（Christian Taaks）博士的著述 *Federführung für die Nation ohneVorhalt? Deutsche Medien in China während der Zeit des Nationalsozialismus*[18]出版，這是筆者目前所能查到的唯一一部論述近代德國在華傳媒問題的專著。在德國新聞政策及中德外交的背景之下，該著述所論述的內容涉及納粹時期德國在華的各類出版物、通訊社、廣播電臺及媒介工作者等多方面內容，全面地展現並分析了那一時期德國在華新聞傳播活動的狀況。筆者認為，該專著對中文世界的相關研究能夠起到有效的引導和參考作用。

## 第三節　資料範圍與研究思路

由於原始資料保存的限制，本文資料範圍主要為一八九六年至一九一七年《德文新報》原件共計一千一百餘期，關於一八八六年至一八九五年該報的情況，則借助其它歷史文獻及當時在華其它外文報刊，如《字林西報》（North-China Daily News）、《上海差報》（The Shanghai Courier）、《晉源西報》（The Courier and China Gazette）、《東

月舉行的 IFLANET International Federation of Library Associations and Annual Conference 會議論文。

17 柏林自由大學傳播學教授 Hermann Haarmann 先生在二○○九年五月給筆者的回郵中提到，他所認識的幾個學生正在做一份有關《黃報》（Der Gelbe Post）的專門研究。

18 該著述副標題意為納粹時期德國在華傳媒。

方輿論》（OstasiatischeRundschau）等，通過旁證材料盡可能地描述那段歷史。

在背景敘述方面，選取中國近代史[19]、上海租界史、十八世紀之後的德國史[20]、專門史等著述作為材料支撐；在新聞史相關問題的論述方面，以中國新聞史、德國新聞史、英美新聞史及世界新聞通史的代表性專著作為基礎性參考資料，有理有據地說明前述提到的關鍵問題，即各語種近代在華外文報刊在中國生存並發展的同時，也將多樣化的報業傳統帶進中國；在內容分析方面，根據論述需要，借助一九一四年世界大戰研究、海外德僑研究、德國海外殖民地研究、十九世紀到二十世紀的輿論宣傳研究等國內外著作展開論述。

前文已經提到過，目前，關於《德文新報》的研究多為綜述性介紹，尤其是關於該報基本信息的陳述模糊不清，沒有可信的依據支撐，因而，明確展現《德文新報》的基本信息，釐清該報發展歷史，有針對性地對該報內容進行分析，這些都是本研究要完成的基本任務。在此基礎之上，本文還期望將《德文新報》置於報刊發展史的進程中，對前文提出的近代在華外文報刊將多樣化報業傳統帶入中國這一問題進行討論。

誠然，近代在華外文報刊的問題絕不是一份《德文新報》就可以解釋清楚的。但是，正是在對《德文新報》進行了閱讀和分析之後，

---

19 按照史學界一般觀點，中國近代的起始時間段為一八四〇年至一九四九年之前，即為本文論述的時代背景。

20 按照西方史學研究對於西方史的時期劃分，原始時期為史前史；公元前三千年至公元後五世紀為古代史；五世紀至十五世紀為中古史；十六世紀至十八世紀（約一五〇〇年至一七八九年法國大革命）為近代史；十九世紀至二十世紀（一七八九年法國大革命至一九四五年第二次世界大戰結束）為現代史（迪特爾·拉甫：《德意志史──從古老帝國到第二共和國（中文版）》〔波恩市：Inter Nationes，1987年〕，頁9）。因而，本文選取的德國史背景材料主要為德國現代史。

筆者注意到，這份德文報刊所體現出的特點與已有研究中所闡述的在華外報特點有很大區別，因為後者一般都是從英美人在華所辦報刊中得出結論的，這也就使目前的在華外報研究結論是否準確成為值得思考的事情。已有研究成果對在華外報的論述之所以偏於英美報業傳統的視角，在一定程度上與我們對其它小語種在華外報的模糊認識有關。在不能近距離切實瞭解其它小語種在華外報的情況下，很容易將這一類報刊一概而論，從而導致英美報刊特點遮蔽了其它在華外報特點。因此，本文對《德文新報》進行剖析，正是在華外文報刊研究的基礎性工作之一，是在前述幾位學者已完成研究成果的啟發和引導之下的繼續開拓。也只有將各種具有代表性的在華外文報刊的分析工作一一完成，才有可能宏觀並客觀地對近代在華外報做出較為客觀的論述。

本研究根據報刊分析的一般原則，將對《德文新報》的基本信息及該報發展歷程進行闡述；對現有研究中模糊不清或存在分歧的細節，以歷史考證的方法加以論證；對可以明確的歷史細節做進一步解釋，而暫不能考證出確鑿證據的部分，則利用相關史料給出可能的推測，以助於日後進一步研究。在報刊的內容分析方面，按照該報發展過程，利用定量分析的方法，輔以簡單的資料統計，展現研究對象在新聞報導方面的特點和傾向，從而較為客觀地分析該報所代表的德國報業傳統在近代中國報業環境中的狀況。通過展現《德文新報》所代表的德國報業進入近代中國並成為近代在華外報的一個重要分支這一事實，可以支撐本文前述的觀點，即在華外報不能以英美報業的視角一概而論。衝破以英美報業的視角看待全部在華外報的藩籬，其目的在於更客觀、真實地認識在華外報，從而進一步分析在華外報在中國近代報刊史中的角色及其所起的作用。

《德文新報》對報業問題、尤其是中國報業問題一直保持關注，這是在華外報對中國近代報刊發展產生的直接作用。因此，本文借

《德文新報》的相關報導展現彼時德國在華新聞工作者對中國報業的認識和看法，這些內容是重新認識和反思近代中國報業真實情況的有益資料。如若對相關研究有所幫助，那也可以算是《德文新報》對中國近代報刊史研究的貢獻了。

## 第四節　章節架構

近代在華外文報刊研究不能從英美報業的視角之下一概而論，為論證這一觀點，本文在緒論之後，將以獨立的一章來陳述這一觀點的理由。西方學者已經就十九世紀末二十世紀初英美國家與歐洲大陸國家報業存在差別這一問題取得了不少研究成果，本章將主要依據其中的三篇文章，再結合德國報業發展史及中國近代報刊史，闡明為什麼在華外文報刊不可一概而論。這一章最後還將對《德文新報》的研究價值做出綜述。

呈現《德文新報》的真實面目，逐個考證其基本信息，這是對該報進行有效分析的前提，也就是說，本文應當明確陳述：《德文新報》在近三十一年中經歷了怎樣的成長過程，即為本研究第三章內容。本章的任務是考證清楚以下幾個問題：《德文新報》產生、發展的歷史背景，編輯發行部門，編者，受眾，訂閱情況，版面變化和專欄設置。從傳播理論的角度講，就是要明確該報的傳播者、受眾、傳播管道、傳播環境等。從新聞學的角度講，本章是宏觀展現《德文新報》的新聞業務情況。將上述問題查考清楚，是進一步有效分析該報內容的必要條件，也是理解其變化發展的客觀需要。

《德文新報》的版面設計、報導內容、專欄設置及各階段變化等情況將被分成三個階段，在第四章中呈現出來。這既是對該報正文內容的概括介紹，又能夠輔助下文對報導內容做進一步分析。

本文第五章的論述對象是《德文新報》的廣告。一般來說，在報刊個案研究中，報導內容分析會先於廣告部分出現，其原因在於，廣告雖然是出版物維持生存或盈利的手段，但終究不是主角。然而，《德文新報》的廣告卻有其特殊之處。抽樣統計資料所顯示的廣告所佔總版面份額是關鍵問題之一。除此之外，筆者還發現，《德文新報》廣告中不僅隱藏了報刊經營的問題，更能揭示出德國報業在那一時期的特點及其對客觀環境的敏感性。因此，本文在分析《德文新報》報導內容之前，先將該報廣告部分的情況展現出來，這也有助於後文展開分析該報在不同時期報導內容的特點。

根據《德文新報》本身的發展變化，對《德文新報》的內容分析主要分為非戰時與戰時兩部分，以一九一四年世界大戰爆發為界。第六章所關注的是一九一四年之前的《德文新報》，編輯部頭條社論報導是量化分析的對象，分析結果能夠在一定程度上展現彼時德國報業在中國的真實狀況，同時，這也是筆者從報業傳統的角度對該報的偏向性進行論述的依據。同時，在比較的視角之下，以《德文新報》對比當時德國本土的報刊，分析德文報刊在進入中國之後，在晚清民國的大變革中，在上海租界這樣一個特殊的環境中，又發生了怎樣的變化。

一九一四年世界大戰的爆發徹底改變了《德文新報》的原有版面編輯格局，本文第七章將對大戰時期的《德文新報》進行解析。從世界近現代報刊的歷史中可以瞭解到，戰爭會對報刊造成直接而明顯的影響，換句話說，當報刊遇到戰爭時，往往會突然發生很大的變化。然而，關於一九一四年之後《德文新報》所發生的突變，除了戰爭的因素之外，德國報業傳統是否也在其中起作用呢？本章將圍繞這一問題展開論述。

第八章「《德文新報》與近代中國報業」是與中國報業發展密切

相關的。這一章不僅從內容與形式兩方面反映了該報特點同時兼有展現德國的報業傳統，而且為我們考察近代中國報刊史提供了新的視角和珍貴的史實。

最後，第九章將對全文做出總結。

長期以來，在近代在華外報這一群體中，《德文新報》並不受矚目，這與諸多因素有關，如以德文出版、規模無法與英美外報相比等。筆者並非欲借本文刻意提升《德文新報》在近代在華外報中的地位，但求通過近距離考查這份比較具有代表性的德文報刊，展現其真實面貌，為近代在華外文報刊和中國近代報刊史的相關研究提供些許基礎性材料。

# 第二章
# 關於在華外報研究視角的討論

選擇《德文新報》作為研究對象，原因在於，該報是德國人在華從事辦報活動的最具代表性報刊，是所有近代在華德文報刊中出版時間最長的一份刊物。同時，研究《德文新報》的意義並不僅僅局限於這份報刊本身。本文將跳出英美報業傳統的視角，放眼於多樣化的報業傳統進入近代中國這個大局面，以德國報業傳統被帶入近代中國為著眼點，釐清這份近代最重要的在華德文報刊的發展變化。

由此看來，本文首先要論證的是，以英美報業傳統的視角來看待整個近代在華外文報刊是不合理的。換句話說，在十九世紀至二十世紀前期，英美報業傳統與德、法、俄國等西方其它國家的報業傳統確實存在差別，這是本文論述視角存在合理性的前提。

## 第一節　英美報業視角下的近代在華外文報刊研究

本文的主要問題緣起於各類中國新聞史著述對近代在華外文報刊的論述。丁淦林先生主編的《中國新聞事業史》簡要而全面地展現了這類報刊的情況：「來華的外國人在創辦首批中文報刊的同時，也創辦了首批外文報刊。……外文報刊卻大多數是商人、政客辦的政治性報刊，主要讀者為在華外國人，主要內容為分析交流中國情況，商討對華政策與行動。」[1]關於外國人在華辦報的作用和影響，該著述認

1　丁淦林主編：《中國新聞事業史》（北京市：高等教育出版社，2007年），頁24-25。

為，這些報刊在內容和形式上形成了一定的格局，報業成為一種職業，有獨立機構，分工明確，財力雄厚的則成為產業中心。[2]李彬先生在其著述中也提到：「……外報推動了近代中文報業的發展。中文的近代報刊，無論是辦報理念還是具體操作，如編輯、採訪、評論、發行等，都跟外報有著密切關係。另外，中國近代早期報人也都直接間接地參與一些外報的編輯工作。所以，外報對中國近代報業的產生與發展所起的作用也是值得肯定的。」[3]上述學者的論述體現了在華外報對中國報刊的引導作用。

在近十年出版的以在華外報為研究對象的著述中，各位學者也都客觀評價了外報在中國近代報刊發展中的歷史地位。但是，如果將英美報業傳統、歐洲大陸各國報業傳統和《德文新報》這一個案放在一起來看，筆者認為，諸多近代報刊史著述對於在華外文報刊的現有結論明顯偏於英美報業傳統的特點，卻忽略了那一時期來自不同國家的在華外報存在差別這一事實。《上海近代報刊史論》認為，外國商人及傳教士在華辦報是「將他們母國所辦報刊的那一套，設法搬過來，這是十分自然的事。」[4]然而，每一個不同的國家所代表的報業傳統是不同的，在十九世紀末二十世紀初這樣一個世界報刊發展史上的特殊時期，尤其不能將其一概而論。因為恰恰是在這個時候，英美國家與歐洲大陸主要國家的報業呈現了不同的發展進度，所以各國在華辦報所搬來的「他們母國所辦報刊的那一套」，它們彼此之間是有差別的。

綜觀現有的涉及近代在華外文報刊的研究，以英文出版的英美報刊為研究對象的占絕大多數，其它小語種外報在其中所佔份額極少。

2　丁淦林主編：《中國新聞事業史》（北京市：高等教育出版社，2007年），頁40。

3　李彬：《中國新聞社會史（1815-2005）》（上海市：上海交通大學出版社，2007年），頁49。

4　秦紹德：《上海近代報刊史論》（上海市：復旦大學出版社，1993年），頁13。

造成這種局面的原因是多重的，一方面，英美人在華辦報的數量遠遠多於其它小語種外報；另一方面，學界在針對在華外報這一群體進行研究時，忽視了一個關鍵問題，即彼時西方各國報業制度是有所不同的，其它小語種外報各自有其特點，不能與英美人的所辦的英文報刊混為一談。以下將介紹西方學者的三篇相關論文，以此為論據來說明這一問題。

## 第二節　西方學者關於英美與歐洲

新聞模式問題的討論「從十九世紀七○年代初至第一次世界大戰這段時期是西方世界書籍報刊出版的黃金時期。」[5]這一時期，也恰好是西方各主要國家報業發展不同步表現得最為明顯的階段。雖然我國學界的在華外報研究沒有對各國報刊的情況加以區分，但在西方主要國家，相關學者圍繞這一問題的討論已經持續了相當長的時間。本節主要介紹兩篇論述西方新聞模式問題的代表性文章，借由西方學者的研究成果，我們可以對在華外文報刊的模式問題進行有針對性的思考和探究。

### 一　關於西方新聞模式的區分

近代在華外報不能普遍地從英美報業傳統的視角來認識。法國學者讓・查勒比（Jean K. Chalaby）在<u>*Journalism as an Anglo-American Invention*</u>一文中論述新聞業起源這一問題時，談到了法國報業與英美報業的比較問題。史學家們曾經較為一致地認為，十七世紀第一份期

5　讓諾埃爾・讓納內：《西方媒介史》（桂林市：廣西師範大學出版社，2005年），頁90。

刊在歐洲出現，這可以被視為新聞業的發端[6]，作者就此質疑，引出文章要論述的中心問題。[7]全文的論述時期定位在十九世紀後半葉至二十世紀前期，作者通過橫向比較，從新聞業務的各個方面展現了英美報業與法國報業在發展進程中的不一致性，並且從文化、政治、經濟及語言學的角度給出了產生這些差異的原因，最終得出結論：英美國家在新聞業這一領域領先一步，並且影響著法國的新聞工作者。[8]

筆者在前述中已經提到，十九世紀末二十世紀初，各個在華外文報刊背後存在著不同報業制度並各具特點，讓·查勒比（Jean K. Chalaby）在其文章中所提供的事實可以成為筆者前述觀點的論據支撐。

從報導內容來看，「與同時代的法國報刊相比，英美報刊中包含了更多的新聞與信息，其新聞採集機構的組織也更加完善。而更重要的是，嚴格意義上的新聞實踐活動，比如採訪與報導，也是由美國記

6 美國學者在二十世紀初對「新聞業（Journalism）」進行定義時，這樣說：「新聞業，簡而言之，就是準備繼而出版一份報刊的工作。如果僅僅如此，那就簡單了。然而，要準備並出版一份貨真價實的報刊，一份將全世界的事件都記錄下來的報刊，那可是一項完全不同的事業。……現代意義上的報刊，不僅僅是一個組織良好的機構，乃應當是現代新聞業之喉舌，是能夠對全世界的日常生活產生廣泛影響的工具。」在文章中，該學者從報導內容、時效性、專業性等多方面論述了為什麼十七世紀至十九世紀前期的報刊不能與現代意義上的報刊相提並論。Harrie Davis. American Journalism // Journalism: Its Relation to and Influence upon the Political, Social, Professional, Financial and Commercial Life of the United States of America. The New York Press Club, 1905: 1927. 據此而言，十七世紀時在歐洲出版的第一份期刊著實不能算作是新聞業的開端。

7 Jean K. Chalaby. Journalism as an Anglo-American invention // European Journal of Communication 11 (3), 1996: 303326. Edited by Howard Tumber. Journalism (Volume I). London: Routledge, 2008: 96-97.

8 Jean K. Chalaby. Journalism as an Anglo-American invention // European Journal of Communication 11 (3), 1996: 303326. Edited by Howard Tumber. Journalism (Volume I). London: Routledge, 2008: 96-115.

者建立並發展起來的。隨後，法國報刊引入了上述這些實踐活動，在加以適當調整後，成為法國報刊界的主流做法。」[9]十九世紀中葉時，一位知名的法國記者寫道：「英國報刊最『重要的特徵』是『信息的廣度與精確度』……相形之下，法國報刊『通常在信息傳遞方面是匱乏的』，而且，『法國報刊在對於外國政治的評論方面則顯得模糊而又知識貧乏』。事實上，在第一次世界大戰爆發前，英美報刊在法國報刊面前的優勢地位一直很明顯。」[10]在一戰時期，當法國人自己回顧十九世紀七〇年代時那些擁有眾多讀者並能產生頗大輿論力量的報刊時，也不禁感歎，這樣的刊物在今天已經沒有什麼影響力可言了。[11]

在新聞採集方面，英美兩國的主要報刊在十九世紀七〇年代普遍已經擁有了自己的新聞採編隊伍，到十九世紀末二十世紀初，海外通訊團隊已經成了這兩國新聞活動中的必備因素。[12]相形之下，「在十九世紀七〇年代之前，還沒有哪家法國報刊擁有自己的海外通訊員團隊，基本上，大多數刊物直到第一次世界大戰時期才開始組建自己的海外通訊機構」。[13]「一戰前，僅有兩家法國報刊擁有海外通訊員，遠

9 Jean K. Chalaby. Journalism as an Anglo-American invention // European Journal of Communication 11 (3), 1996: 303-326. Edited by Howard Tumber. Journalism (Volume I). London: Routledge, 2008: 97.

10 Jean K. Chalaby. Journalism as an Anglo-American invention // European Journal of Communication 11 (3), 1996: 303-326. Edited by Howard Tumber. Journalism (Volume I). London: Routledge, 2008: 96-115.

11 Pierre de Bacourt, John W. Cunliffe. The Development of the French Press // French of To-day: Readings in French Newspapers. New York: The Macmillan Company, 1917: xxx.

12 Jean K. Chalaby. Journalism as an Anglo-American invention // European Journal of Communication 11 (3), 1996: 303-326. Edited by Howard Tumber. Journalism (Volume I). London: Routledge, 2008: 98-99.

13 Jean K. Chalaby. Journalism as an Anglo-American invention // European Journal of Communication 11 (3), 1996: 303-326. Edited by Howard Tumber. Journalism (Volume I). London: Routledge, 2008: 99-100.

遠遜色於其英美同行」[14]，在那一時期，與英美國家相比，這樣的專業化程度，法國人只能自歎不如：法國的報刊和雜誌，在數量上是根本不可能像美國那麼多的。[15]另一方面，「進入二十世紀了，法國報業在品質上依然不見起色。」[16]究其原因，其中之一便是記者這一職業當時在法國備受蔑視，「許多政治評論家認為新聞及信息類內容在法國的報刊中佔據了過重的分量」[17]，他們批評法國的報刊「越來越美國化了」[18]，「遲至十九世紀九〇年代，當美國記者們的新聞實踐活動已開始在法國相對廣泛地展開，在法國人眼裏，這些新聞實踐仍然被認為是陌生的和不正當的。」[19]讓・查勒比引用邁克爾・舒德森（Michael Schudson）的觀點認為「採訪的歷史不僅僅意味著一種形式上的現代性，同時也意味著一種美國性質」[20]，此後，在法國與英

14 Jean K. Chalaby. Journalism as an Anglo-American invention // European Journal of Communication 11 (3), 1996: 303-326. Edited by Howard Tumber. Journalism (Volume I). London: Routledge, 2008: 99-100.

15 Pierre de Bacourt, John W. Cunliffe. The Development of the French Press // French of To-day: Readings in French Newspapers. New York: The Macmillan Company, 1917: xlviii.

16 Jean K. Chalaby. Journalism as an Anglo-American invention // European Journal of Communication 11 (3), 1996: 303-326. Edited by Howard Tumber. Journalism (Volume I). London: Routledge, 2008: 99-100.

17 Jean K. Chalaby. Journalism as an Anglo-American invention // European Journal of Communication 11 (3), 1996: 303-326. Edited by Howard Tumber. Journalism (Volume I). London: Routledge, 2008: 101.

18 Jean K. Chalaby. Journalism as an Anglo-American invention // European Journal of Communication 11 (3), 1996: 303-326. Edited by Howard Tumber. Journalism (Volume I). London: Routledge, 2008: 101.

19 Jean K. Chalaby. Journalism as an Anglo-American invention // European Journal of Communication 11 (3), 1996: 303-326. Edited by Howard Tumber. Journalism (Volume I). London: Routledge, 2008: 101.

20 Michael Schudson. Question Authority: A History of the News Interview in American Journalism, 1860s1930s [J]. Media, Culture and Society, 1994, 16 (4): 568. Jean K.

國，新聞採訪活動大約在同一時期展開，然而，兩國的狀況卻截然不同，在法國，新聞採訪活動表現為「步履艱難，尤其是政客們對於接受採訪一事都表現出非常不情願的態度。他們更喜歡其它方式，比如發表自己撰寫的文章，或者希望媒體逐字刊發他們的講演。」[21]

論及產生上述不同的原因，讓・查勒比認為，首先，法國的文學傳統成了新聞業發展的障礙。「法國文學領域中的名人與名流一直參與新聞業之中。直到法蘭西第二帝國末期，他們一直佔據新聞業的統治地位。」[22]相形之下，「無論是在英國還是美國，文學名人都不願介入新聞業。在這兩個國家裏，新聞類出版刊物發展成為專門的信息傳播媒介，而文學因素即使曾經在新聞業中有所影響，也很快變得無所適從。」[23]第二，法國政府對新聞的管制比英美國家持續時間長。「在一八七七年之前，法國政府利用各種手段對新聞進行強迫管制。這其中包括法律手段（審查制度及嚴格的誹謗法）、行政手段（實行登記制度，授權批准制度及保證金制度），另外還有經濟手段（報刊印花稅）」[24]，直到「一八八一年新的法令（即《出版自由法》《出版自由

---

Chalaby. Journalism as an Anglo-American invention // European Journal of Communication 11 (3), 1996: 303-326. Edited by Howard Tumber. Journalism (Volume I). London: Routledge, 2008: 103.

21 Jean K. Chalaby. Journalism as an Anglo-American invention // European Journal of Communication 11 (3), 1996: 303-326. Edited by Howard Tumber. Journalism (Volume I). London: Routledge, 2008: 103-104.

22 Jean K. Chalaby. Journalism as an Anglo-American invention // European Journal of Communication 11 (3), 1996: 303-326. Edited by Howard Tumber. Journalism (Volume I). London: Routledge, 2008: 104.

23 Jean K. Chalaby. Journalism as an Anglo-American invention // European Journal of Communication 11 (3), 1996: 303-326. Edited by Howard Tumber. Journalism (Volume I). London: Routledge, 2008: 105.

24 Jean K. Chalaby. Journalism as an Anglo-American invention // European Journal of Communication 11 (3), 1996: 303-326. Edited by Howard Tumber. Journalism (Volume I). London: Routledge, 2008: 108.

法》是一八八一年七月二十九日法國議會通過的正式的新聞法律）頒佈，新聞界與政府之間的關係才合法化了。」[25]相形之下，「在美國，政府從未對新聞出版進行強行管制。在英國，到十九世紀三〇年代中期，政府已經終止了對報業的管制，尤其是對工人階級非法小報的壓制也已停止。」[26]在此情況之下，英美國家新聞業呈現了競爭促進發展的景象，這就在一定程度上必然帶來第三個原因，即經濟。「在十九世紀初期的美國和十九世紀下半葉的英國，報刊要想高額盈利，需要依靠發行量和廣告。因而這兩國的廣告市場發展迅速，為報刊出版物的盈利提供了重要資源。」[27]「法國的實業家們與其英美同行處於不同的經濟和文化背景之下，他們在相當長的一段時間內都認為把錢投在廣告上是種浪費。因而，在同時期的法國報刊上，廣告所佔的版面相對較少，法國報人便無法像其英美同行那樣，以廣告收入來獲得經濟獨立。」[28]在法蘭西第三共和國時期[29]，幾乎所有的法國報刊都會從政府或政黨的一方收取賄賂，並受控於對方。[30]甚至「在十九世

25 Jean K. Chalaby. Journalism as an Anglo-American invention // European Journal of Communication 11 (3), 1996: 303-326. Edited by Howard Tumber. Journalism (Volume I). London: Routledge, 2008: 108.

26 Jean K. Chalaby. Journalism as an Anglo-American invention // European Journal of Communication 11 (3), 1996: 303-326. Edited by Howard Tumber. Journalism (Volume I). London: Routledge, 2008: 108.

27 Jean K. Chalaby. Journalism as an Anglo-American invention // European Journal of Communication 11 (3), 1996: 303326. Edited by Howard Tumber. Journalism (Volume I). London: Routledge, 2008: 110.

28 Jean K. Chalaby. Journalism as an Anglo-American invention // European Journal of Communication 11 (3), 1996: 303326. Edited by Howard Tumber. Journalism (Volume I). London: Routledge, 2008: 110-111.

29 即一八七〇年九月四日至一九四〇年六月二十二日這段時期。

30 Jean K. Chalaby. Journalism as an Anglo-American invention // European Journal of Communication 11 (3), 1996: 303326. Edited by Howard Tumber. Journalism (Volume I). London: Routledge, 2008: 111.

紀七〇年代到二十世紀三〇年代之間，法國報刊還會接受來自國外政府的賄賂，以混淆或者隱瞞相關報導。」[31]很顯然，這是法國報刊經濟不能獨立所導致的必然結果。

從內容方面來看，讓·查勒比此篇文章是將十九世紀中期到二十世紀前期的法國新聞業與英美新聞業進行了對比分析。但是，該文章開篇便指明，其論述的核心問題是對新聞業起源於歐洲質疑，經過分析論證得出與傳統觀點不相符的結論。因此，可以這樣認為，在此文中，法國新聞業代表的是歐洲大陸新聞業。由此可見，其貢獻不僅在於解決了該文提出的核心問題，而且還論證了那一時期英美新聞業與歐洲大陸新聞業的發展確實存在差別。由此，一種「歐洲新聞模式」（European Journalism[32]）的概念產生了，與英美新聞模式（Anglo 拟 American Journalism）相對應。那麼，是否存在一個「歐洲新聞模式」呢？從在華外文報刊研究的角度來說，這一問題也是需要解決的。因為在一八六〇年以後的近代中國，共存著英文、德文、法文、俄文等不同語種的報刊，在區分了英美報刊與歐洲報刊的不同之後，是否就能將其它小語種報刊一概而論呢？

---

31 Jean K. Chalaby. Journalism as an Anglo-American invention // European Journal of Communication 11 (3), 1996: 303-326. Edited by Howard Tumber. Journalism (Volume I). London: Routledge, 2008: 111.

32 European Journalism 並非某一特定說法，此處是筆者根據讓·查勒比文章中的 Anglo-American Journalism 仿擬而成，此語源於 Fred S. Siebert 等人的著述 Four Theories of the Press，用 Anglo-American Journalism 來描述英國、美國及英聯邦國家所遵循的一種共同的傳統，即「英美傳統」（Anglo-American tradition）。Paolo Mancini. Is There A European Model of Journalism ? // Eidted by Hugo de Burgh. Making Journalists. London: Routledge, 2005: 77.

## 二　關於是否存在一個「歐洲新聞模式」的討論

意大利學者保羅．曼奇尼（Paolo Mancini）在其題為 *Is There A European Model of Journalism?* 的文章最開始便提出問題：在新聞業方面，是否存在一個與所謂英美模式（the “Anglo-American”, “Anglophone” or “Anglo-Saxon” model）不同的歐洲模式？這一歐洲模式是獨一的，還是各國分別有其特點？[33]作者肯定了英美新聞業與歐洲新聞業在實質上存在差別這一點，並認為在讓·查勒比的文章即本文前述讓·查勒比發表於一九九六年的《源於英美的新聞業》（Journalism as an Anglo-American Invention）一文。發表之後，英美新聞模式就可以被認為是一種新聞業的主導模式[34]隨之而來的問題就是，究竟是否存在統一的英美新聞模式和歐洲新聞模式，其根據又是什麼呢？

該文的作者以歐洲新聞業為立足點，從媒介與政治、文學的關係及國家干預三方面討論了歐洲新聞業的特點，以此展現了歐洲新聞業與英美新聞業的不同之處。首先，在歐洲國家，大眾傳媒與政治之間的聯繫較之英美國家更為密切。在英美國家，大眾化報刊是以出售新聞產品為目的，因為廣告的緣故，這些報刊能夠完全經濟獨立，與政治之間的關係漸漸疏遠。作者借邁克爾．舒德森所言，便士報結束了政治並行，近代新聞業的核心概念「客觀性」由此誕生，這就導致了英美新聞模式與歐洲新聞模式漸漸拉開了距離。[35]此處的論述與讓·

33 Paolo Mancini. Is There A European Model of Journalism? // Eidted by Hugo de Burgh. Making Journalists. London: Routledge, 2005: 77.

34 Paolo Mancini. Is There A European Model of Journalism? // Eidted by Hugo de Burgh. Making Journalists. London: Routledge, 2005: 78。

35 Paolo Mancini. Is There A European Model of Journalism? // Eidted by Hugo de Burgh. Making Journalists. London: Routledge, 2005: 79-80.

查勒比的論述有著頗為相似的地方，因而可以說，讓・查勒比文章中的法國，的確是作為歐洲新聞模式的代表而出現的。在歐洲，雖然第一次世界大戰之後也出現了以商業模式運營的大眾化報刊，但那往往是黨派性的，德國的阿爾弗雷德・胡根貝格（Alfred Hugenberg）[36]即是很好的例子，他能夠使商業滲透與政治的黨派性兩者交融。二十世紀之後，歐洲新聞業也逐漸進入商業經營的時代，但「新聞業市場和廣告的發展（尤其是廣告，這是報刊獨立的根本），這兩者卻漸漸地使大眾媒體與外部經濟力量和政治組織之間的密切聯繫永久地存在著。隨後，群眾性政黨（mass parties）的出現進一步加強了報刊的黨派性傳統。」[37]「政黨報刊模式可以超越政黨報刊的邊界之外，大大影響所有的專業新聞。新聞要堅持一個立場，捍衛一個原因並為之辯護，這成為新聞實踐中的一種。漸漸地，在隨後政黨報刊逐漸消失的時候卻形成了揮之不去的信念：作為記者也意味著必須有自己的立場。關於這一點，馬克斯・韋伯對記者的描述讓人印象頗深：記者就是一種『職業政客』」。[38]第二，「在歐洲的許多國家，新聞業與文學之間有很大的聯繫，這構成了歐洲新聞業的又一重要特徵。這一聯繫要追溯到早期，新聞業起源於評論性文章和解釋性文章。」[39]作者再次對查勒比的文章加以闡釋，並更進一步引用哈貝馬斯的觀點，強調文

---

36 阿爾弗雷德・胡根貝格（Alfred Hugenberg）（1865.6.19-1951.3.12），曾經是著名的報人，後來成為德國工商界知名人士和政治家。一九〇九至一九一八年任克虜伯公司董事長，一九二八年任德國民族大眾黨主席，和其它右翼黨聯合反對魏瑪共和國的議會民主制度和外交政策。

37 Paolo Mancini. Is There A European Model of Journalism? // Eidted by Hugo de Burgh. Making Journalists. London: Routledge, 2005: 80.

38 Paolo Mancini. Is There A European Model of Journalism? // Eidted by Hugo de Burgh. Making Journalists. London: Routledge, 2005: 80-81.

39 Paolo Mancini. Is There A European Model of Journalism? // Eidted by Hugo de Burgh. Making Journalists. London: Routledge, 2005: 83.

學報刊的重要性，並指明是「『文學公共領域』促成『政治公共領域』的出現。」[40]的確，在歐洲，「報刊起源本質上就劃定了一個精英的圈子。雖然報刊面向大眾，但最終是被特定的階層認同並肯定的，通常，這一階層受到良好的教育，並早已熟知政治生活。」[41]因而，「在歐洲的許多國家，新聞業所受到的來自文學的影響直到今天還隱隱存在。」[42]第三，在歐洲的相當一部分國家裏，國家是作為調控者對大眾媒介和新聞業進行干預的，主要由立法機關的立法來完成。這與美國完全不同，憲法第一修正案[43]使得國會完全不能介入這一領域。[44]

縱然有以上的事實為依據，但作者並未就此下定論，認為一個與英美新聞模式相對的歐洲新聞模式必定存在。恰恰相反，作者在論述中同時提出了另外兩個問題：歐洲各國之間新聞業的差別和英美兩國新聞業之間的差別是否存在？

---

40 Paolo Mancini. Is There A European Model of Journalism? // Eidted by Hugo de Burgh. Making Journalists. London: Routledge, 2005: 84.

41 Paolo Mancini. Is There A European Model of Journalism? // Eidted by Hugo de Burgh. Making Journalists. London: Routledge, 2005: 86.

42 Paolo Mancini. Is There A European Model of Journalism? // Eidted by Hugo de Burgh. Making Journalists. London: Routledge, 2005: 85.

43 一七九一年，在美國第一屆國會上，各州要求制定聯邦憲法權利法案的十條修正案獲得批准，成為現在的聯邦憲法第一至第十修正案，亦稱《權利法案》。參見邱小平：《表達自由——美國憲法第一修正案研究》（北京市：北京大學出版社，2005年），頁6-7。

美國憲法第一修正案（The First Amendment）內容：國會不准制定有關下列事項的法律，即確立一種宗教或禁止信仰自由；限制言論自由或出版自由；或限制人民和平集會的權利及向政府請願的權利。（Congress shall make no law respecting an establishment of religion, or prohibiting the free exercise thereof; or abridging the freedom of speech, or of the press; or the right of the people peaceably to assemble, and to petition to the Government for a redress of grievances.）參見：邱小平：《表達自由——美國憲法第一修正案研究》（北京市：北京大學出版社，2005年）。

44 Paolo Mancini. Is There A European Model of Journalism? // Eidted by Hugo de Burgh. Making Journalists. London: Routledge, 2005: 89.

就政黨新聞業而言，歐洲各國之間存在著非常重要的區別。「在北歐國家，記者們對不同的準則都予以遵循，不論他的黨派立場如何，這些準則適用於這一行業的所有人。同時，這一行業的人也會根據其親身感受而對不同的事件持不同的態度。世界上第一批對新聞業的評判準則和標準進行規定的新聞同業協會就誕生在北歐。在這裏，新聞業行業準則可以與黨派新聞模式共存。」[45]但是，在南歐國家，黨派報刊模式就意味著工具化和政治化：「報刊生存不靠發行量和廣告。他們從報業之外尋求經濟來源，報刊也就成了他們實現目的的工具。報刊的政治特點往往是具有工具性，可以遵從廣泛的不同目的。報刊被用作集團之間或個人之間談判甚至勒索的工具這種情況並不稀罕。在這些國家裏，新聞專業規則越來越淡化，新聞業的專業發展已經不是那麼重要，這一專業之外的各個組織之間在政治和經濟上的聯繫反而更加重要。」[46]

另一方面，作者又在英美新聞業內部找到了非常重要的差別。「除了 BBC 這個例外，英國新聞業總是有高度的黨派性。過去是這樣，甚至直到今天，在廣播和小報中也是如此。默多克的報刊對布雷爾的支持就無數次地證明了這一傳統是長久存在的。但是，至少在理論上，英美新聞模式應當是大眾媒體與政治完全分離的。因此，應當說，英國的新聞業更接近於歐洲新聞業模式，而不是英美模式，雖然英美模式這一名稱是來源於英國，然而，較之英國新聞業而言，美國新聞業將這一模式的特徵表現得更為透徹。」[47]

45 Paolo Mancini. Is There A European Model of Journalism? // Eidted by Hugo de Burgh. Making Journalists. London: Routledge, 2005: 81.

46 Paolo Mancini. Is There A European Model of Journalism? // Eidted by Hugo de Burgh. Making Journalists. London: Routledge, 2005: 81.

47 Paolo Mancini. Is There A European Model of Journalism? // Eidted by Hugo de Burgh. Making Journalists. London: Routledge, 2005: 82.

該篇文章的作者認為，實際上，在一般情況下，即使在同一國家內，也不會只存在一種新聞模式。[48]的確，追溯各國報刊誕生的歷史，我們應當看到，「無論是在歐洲還是別的國家，報刊誕生都是緣於一個強勢的黨派或者文學。第一張報刊的誕生與宗教有關，與倫理有關，與政黨鬥爭有關，也與政治經濟組織有關。」[49]這是各國報刊之間不能抹殺的共性。

對於「模式說」，保羅・曼奇尼既肯定了歐洲各國新聞業之間的共性比差異更多，也承認了英美新聞業之間的共性絕不少於它們之間的差異，但最終並沒有完全肯定歐洲模式的存在。[50]萬物之間相互聯繫，存在差別，也必然有其共性。正如作者所言，要對英美新聞業與歐洲新聞業之間的區別作出明確的判定並不容易。雖然並未能得到確切的結論，但這一研究所得到的最寶貴經驗並非結論本身，而是從不同的層面和角度上提出問題，通過在不同領域、不同對象之間進行的對比分析，說明我們更加明確地認識研究對象。必須承認，如果沒有對比的視角，可能就沒有問題的提出，我們今天認識到的諸如各種新聞業內部的特點和細微差別，也就很難闡釋出來。對於提出「歐洲新聞模式」這一問題，作者認為，「構建類型學具有深遠意義和認知價值，能夠運用有效的工具去分析，這會使得相似性和差異性更有條理。」[51]但作者此言並非完全肯定將研究對象類型化的做法，而是指

48 Paolo Mancini. Is There A European Model of Journalism? // Eidted by Hugo de Burgh. Making Journalists. London: Routledge, 2005: 82.

49 Paolo Mancini. Is There A European Model of Journalism? // Eidted by Hugo de Burgh. Making Journalists. London: Routledge, 2005: 78.

50 Paolo Mancini. Is There A European Model of Journalism? // Eidted by Hugo de Burgh. Making Journalists. London: Routledge, 2005: 91.

51 Paolo Mancini. Is There A European Model of Journalism? // Eidted by Hugo de Burgh. Making Journalists. London: Routledge, 2005: 91.

出，「當處於同一屋簷下的時候，不同的事物與現實總是傾向於犧牲現象的複雜性。因此，嘗試定義不同的新聞模式，雖然有效，但也會對事物本身的多樣性視而不見，這些多樣性往往決定著事物本身的行為方式。」[52]

正是最後這一點，揭示了我們目前研究近代在華外文報刊所存在的問題：以英美報業的視角來觀察其它在華外報，這就在不經意間犧牲了在華外報這一現象的複雜性。由此，對於《德文新報》這一研究對象來說，首先要做到的是停止以英美報業視角來對其進行觀察，而應當回到十九世紀中葉到二十世紀前期德國報業傳統當中，弄清其本來的面目。因為，可以肯定地說，彼時的德國新聞業與其它西方國家有著相當不同的特點。生於中國、長於中國的《德文新報》究竟是繼承了德文報業的特點，將彼時德國的新聞業傳統帶入中國，還是浸染了其它外文報刊的氣息而失去了德國性，此時尚不可知，有待於進一步分析。

## 第三節　十九世紀末二十世紀初的德國報業

《德文新報》源於德國人之手，以德文出版，自始至終充滿了德國因素，因此，如果要對該報有更為深入的認識，就必須首先瞭解那個時代的德國報業制度及傳統。對於這份在近代中國出版發行的德文報刊而言，中國只是為其出生提供了客觀的土壤，真正的孕育者乃是十九世紀的德國報業。

承接前述問題，近距離瞭解彼時的德國報業傳統，不僅僅是分析《德文新報》本身的要求，也是筆者認為不能將這份德文報刊與其它

52 Paolo Mancini. Is There A European Model of Journalism? // Eidted by Hugo de Burgh. Making Journalists. London: Routledge, 2005: 91.

在華外文報刊一概而論的必要論據——十九世紀至二十世紀初的德國報業，無論在制度、傳統還是發展狀況方面，都與英美新聞模式不同，與歐洲大陸之內的其它國家也有區別。

眾所週知，在報刊的早期歷史中，德國扮演著關鍵的角色。然而，十九世紀三〇年代，當大眾報刊時代來臨之時，這個國家卻不再領跑，德國大眾化報刊時代的來臨遠遠晚於美國、英國，甚至法國。伍爾夫·約納斯·布約爾克（Ulf Jonas Bjork）在其 *Germany: Mass-Circulation Newspapers shaped by an Authoritarian Setting* 一文中認為，這都歸因於報刊和政府之間難以相處的關係，而報刊發行和籌措資金的特殊結構也起到了負面的作用。[53]

近代報刊伴隨德國社會進入十九世紀，那時，柏林、漢堡、萊比錫、法蘭克福等大城市都擁有自己的報刊。發達的商業貿易活動使得當時社會對於信息提供與信息交流的需求成為報刊的生存和發展的肥沃土壤，《漢堡通訊》（Hamburgische Correspondent）在一八八〇年發行量為三萬份，是當時歐洲發行量最大的報刊之一。然而，另一方面，十九世紀的德國一直籠罩在威權主義統治的陰影之下，不論是十九世紀前期的日爾曼邦聯，還是一八七一年之後的德意志帝國，報刊從來都沒能自由地發展，而是成了權力的工具。[54]政府嚴格控制報刊出版這一特徵，在一八七一年德國實現統一前後的兩段時期都表現得十分鮮明，因而，像《漢堡通訊》所達到的發行量，僅僅是商業刊物的特例。

---

53 Ulf Jonas Bjork. Germany: MassCirculation Newspapers shaped by an Authoritarian Setting. // Edited by Ross F. Collins and E. M. Palmegiano. The Rise of Western Journalism, 18151914. Jefferson: McFarland & Company, Inc., Publishers, 2007: 107.

54 Ulf Jonas Bjork. Germany: MassCirculation Newspapers shaped by an Authoritarian Setting. // Edited by Ross F. Collins and E. M. Palmegiano. The Rise of Western Journalism, 18151914. Jefferson: McFarland & Company, Inc., Publishers, 2007: 107.

十九世紀早期，德國政府認為，在大多數情況下，報刊的作用是相當消極的，因而實行嚴格的檢查制度。然而，拿破崙對德國大片領土的佔領[55]卻令政府和報刊之間的關係有所改變。愛國主義成了雙方的斡旋者——德國的報刊將目光鎖定在反對法國的主題上。在拿破崙垮臺之後，德國報刊便將目光轉回祖國，批評當局和其它問題。與此同時，一個鬆散的日爾曼邦聯建立起來。「邦聯國會作出決定需要取得一致或大多數通過，但是，這通常很難實現。……然而，在嚴格控制報刊這一點上，國會成員還是取得了一致。一八一九年，查理斯巴德法令（Carlsbad Decrees）出臺，成立邦聯之前的出版前檢查制度又被請了回來。」[56]德國的新聞人從來沒有停止過爭取新聞自由的鬥爭，在這一點上，除去時間上的不一致，歐洲國家普遍有著相似的經歷。十九世紀二〇至四〇年代，德國的出版物增加了一倍，這使得加強檢查變得困難。[57]一八四八年革命席卷歐洲，「查理斯巴德法令被正式廢除，整個日爾曼邦聯結束了出版前審查的歷史。出版自由最終實現，政治報刊一夜間湧出，數量超過兩百三十份。」[58]然而，政府卻

---

55 在拿破崙一世的擴張過程中，歐洲主要國家曾多次組成反法同盟抗擊侵略。但是最終在一八〇六年，普魯士的軍隊幾乎全軍覆沒，拿破崙因此取得了德國大部分地區，宣佈大陸封鎖政策，自此，法國在歐洲大陸的霸主地位得到了確立，德意志神聖羅馬帝國滅亡。一八一三年，英國、俄國、普魯士和奧地利再次組成反法同盟，雙方在現今德國境內多次激戰。經過十月的萊比錫民族大會戰，法軍被擊潰，各附庸國紛紛脫離法國獨立（迪特爾·拉甫：《德意志史——從古老帝國到第二共和國（中文版）》〔波恩市：Inter Nationes，1987年〕，頁50-61。

56 Ulf Jonas Bjork. Germany: MassCirculation Newspapers shaped by an Authoritarian Setting. // Edited by Ross F. Collins and E. M. Palmegiano. The Rise of Western Journalism, 18151914. Jefferson: McFarland & Company, Inc., Publishers, 2007: 108-109.

57 Ulf Jonas Bjork. Germany: MassCirculation Newspapers shaped by an Authoritarian Setting. // Edited by Ross F. Collins and E. M. Palmegiano. The Rise of Western Journalism, 18151914. Jefferson: McFarland & Company, Inc., Publishers, 2007: 111.

58 Ulf Jonas Bjork. Germany: MassCirculation Newspapers shaped by an Authoritarian

並未因此停止對報刊的約束和限制，「檢查制度不復存在，但政府管制依然可以通過法律條文來實現，當局的注意焦點僅僅是從出版前審查轉移到了出版後制裁上。」[59]在整個德國，控制報刊就是傳統，政府還試圖將親政府的文章植入那些獨立的報刊，這比審查更加有效用，「一八六〇年左右，這些政策使政府得到了真正的對報刊的主導地位」。[60]

另一方面，政治上的分裂依然阻礙著德國報業的發展。「小城市思想、狹隘的眼界使得一般的讀者對於超出他們生活區域之外的事情不感興趣。那些爭取更開闊眼界的出版者們，要力爭塑造更統一的德國意識和國家認同，在讀者那裏卻得不到回應。」[61]因而，「德國報人與他們的美國同行不同，他們從發行量上得不到任何實惠。……兩次技術革命促成了大眾化報刊的誕生，要知道，蒸汽機印刷機和以木質紙漿作為報刊用紙都是德國人發明的，可是這兩者的發明人都沒能在國內為他們的發明找到用武之地，便只好出走海外尋求那些渴望變革的出版人。」[62]

---

Setting. // Edited by Ross F. Collins and E. M. Palmegiano. The Rise of Western Journalism, 18151914. Jefferson: McFarland & Company, Inc., Publishers, 2007: 115.

59 Ulf Jonas Bjork. Germany: MassCirculation Newspapers shaped by an Authoritarian Setting. // Edited by Ross F. Collins and E. M. Palmegiano. The Rise of Western Journalism, 18151914. Jefferson: McFarland & Company, Inc., Publishers, 2007: 117.

60 Ulf Jonas Bjork. Germany: MassCirculation Newspapers shaped by an Authoritarian Setting. // Edited by Ross F. Collins and E. M. Palmegiano. The Rise of Western Journalism, 18151914. Jefferson: McFarland & Company, Inc., Publishers, 2007: 119-120.

61 Ulf Jonas Bjork. Germany: MassCirculation Newspapers shaped by an Authoritarian Setting. // Edited by Ross F. Collins and E. M. Palmegiano. The Rise of Western Journalism, 18151914. Jefferson: McFarland & Company, Inc., Publishers, 2007: 116.

62 Ulf Jonas Bjork. Germany: MassCirculation Newspapers shaped by an Authoritarian Setting. // Edited by Ross F. Collins and E. M. Palmegiano. The Rise of Western Journalism, 18151914. Jefferson: McFarland & Company, Inc., Publishers, 2007: 116.

當俾斯麥的時代來臨之際，這位議程設置的大師以愛國主義的德意志民族意識和統一德國的宏偉計劃與當時德國的自由主義報刊達成共識。[63]一八七一年，德國統一，但是德國報刊不但沒有獲得更多的發展空間，卻由被控制陷入了被操縱的深淵。除了經濟上對報刊進行資助，政府一直用提供豐富的新聞資源引誘著報刊。即使是廣告的空間，政府也不會放過，「俾斯麥經常強調，積極刊載官方廣告對出版者是有好處的」。[64]

隨著各樣通訊社的建立，能夠提供不同信息和觀點的管道增多，在俾斯麥執政生涯的最後十年，他建立起來的信息系統已經失效。[65]「一八八〇年之後，俾斯麥對新聞的控制放鬆了，但是其政策對德國新聞業的影響卻是深遠的。在他去世奧托・馮・俾斯麥（Otto yon Bismarck），生於一八一五年，卒於一八九八年。後的很多年，德國政府拾起了並依靠著他當年開創的方法，例如迎合地方報刊的需要，將政府製造的新聞植入那些獨立但態度親政府的報刊中。」[66]

拋開政府的因素，在俾斯麥時期，德國報刊的種類數量一直在增長，「到一八八五年，德國國內各類報刊（日報、周報）數量已超過

63 Ulf Jonas Bjork. Germany: MassCirculation Newspapers shaped by an Authoritarian Setting. // Edited by Ross F. Collins and E. M. Palmegiano. The Rise of Western Journalism, 18151914. Jefferson: McFarland & Company, Inc., Publishers, 2007: 121.

64 Ulf Jonas Bjork. Germany: MassCirculation Newspapers shaped by an Authoritarian Setting. // Edited by Ross F. Collins and E. M. Palmegiano. The Rise of Western Journalism, 18151914. Jefferson: McFarland & Company, Inc., Publishers, 2007: 122-124.

65 Ulf Jonas Bjork. Germany: MassCirculation Newspapers shaped by an Authoritarian Setting. // Edited by Ross F. Collins and E. M. Palmegiano. The Rise of Western Journalism, 18151914. Jefferson: McFarland & Company, Inc., Publishers, 2007: 125-126.

66 Ulf Jonas Bjork. Germany: MassCirculation Newspapers shaped by an Authoritarian Setting. // Edited by Ross F. Collins and E. M. Palmegiano. The Rise of Western Journalism, 18151914. Jefferson: McFarland & Company, Inc., Publishers, 2007: 126.

三千份，但約九成的發行量只有幾千份。即使發行量最大的德國報刊，在法國、英國及美國的報刊面前也會相形見絀。」[67]德國報刊的發行範圍只限於地方，因而缺少競爭力。[68]另外，德國報業內部的問題也是造成其缺陷的原因。首先，「在發行方面，因為禁止街頭零售，發行就只能靠訂閱。發行方面不是靠報刊自身而是靠其它獨立的公司或者郵局。結果就是，報刊發行人對自己的讀者不熟悉，也沒有增加發行量的想法。就像當時德國報業不願接受先進的印刷技術一樣，他們也不願接受新的發行方式。德國最早的新聞專業組織德國記者協會一八七一年投票拒絕報刊沿街叫賣或在報攤零售，認為這些方式對於報刊發行是不適宜的。」[69]第二，在版面設置方面，「德國報刊中鮮見大字型大小的標題，直到一九一四年戰爭新聞大篇幅出現，才使得大字型大小標題成為需要，另外，德國報刊中也幾乎沒有配圖片。而持續使用哥特式字體印刷也使得報刊看起來很老氣。」[70]伍爾夫・約納斯・布約爾克（Ulf Jonas Bjork）在文章中還引用了十九世

67 Ulf Jonas Bjork. Germany: MassCirculation Newspapers shaped by an Authoritarian Setting. // Edited by Ross F. Collins and E. M. Palmegiano. The Rise of Western Journalism, 18151914. Jefferson: McFarland & Company, Inc., Publishers, 2007: 126.

68 近代學者儲玉坤在記述彼時的德國報刊時這樣寫道：「德國報紙唯一的特色，就是地方主義色彩的濃厚；這完全是歷史造成的。我們知道，德國的統一，還是近百年的事；在未統一之前，各邦各自為政，無異是個小國家，因此只要居民有一千以上數目的小城市就會有一家日報出版，人民對於各地報紙竟稱為『我的報紙』（Mein Blatt），這個觀念因襲至今，使德國的報業受了這個地方主義的束縛，不能像英美的報業有驚人的發展。」參見：儲玉坤：《現代新聞學概論》（上海市：世界書局，1948年），頁60-61。

69 Ulf Jonas Bjork. Germany: MassCirculation Newspapers shaped by an Authoritarian Setting. // Edited by Ross F. Collins and E. M. Palmegiano. The Rise of Western Journalism, 18151914. Jefferson: McFarland & Company, Inc., Publishers, 2007: 127.

70 Ulf Jonas Bjork. Germany: MassCirculation Newspapers shaped by an Authoritarian Setting. // Edited by Ross F. Collins and E. M. Palmegiano. The Rise of Western Journalism, 18151914. Jefferson: McFarland & Company, Inc., Publishers, 2007: 127.

紀末二十世紀初時期瑞典記者弗裏茨·亨里克森（Fritz Henriksson）的觀點，認為「德國報刊守舊，版面不吸引人且混亂，而且都是小開本。」[71]第三，在廣告方面，除了前述提到的政府提倡刊載官方廣告，德國廣告業組織的存在也阻礙了報業向大眾化發展的腳步。「發掘地方的潛在廣告客戶和在報刊中尋找版面為客戶宣傳都是有利可圖的工作，但這些並沒有掌握在報刊出版者的手中，而是落在獨立的廣告代理商手中。報刊一般與廣告代理商簽訂長期的合同，租賃報刊版面並收回報酬，這筆收入雖然能夠定期獲得，但卻十分低廉。出版者們選擇這一做法的初衷是為保證收入的穩定。十九世紀最後幾十年，隨著工業革命不斷發展並刺激著廣告業，德國報刊與廣告代理商之間的關係使得報刊一方很明顯地處於劣勢。」[72]

即使外部環境不利，德國的新聞人也從未停止過抗爭求變。在新聞採集方面，面對政府對消息資源的控制，以及後來著名的沃爾夫通訊社受控於政府的現實，「德國記者協會曾一度打算模仿美聯社建立一個合作性的通訊社，但這個想法沒能吸引到資金支持」。[73]「雖然建立合作通訊社最終未能實現，但在某種意義上，獨立採訪新聞的觀念已經在德國新聞界默然一致」。[74]然而，政府鼓勵採用官方消息和德國

71 Ulf Jonas Bjork. Germany: MassCirculation Newspapers shaped by an Authoritarian Setting. // Edited by Ross F. Collins and E. M. Palmegiano. The Rise of Western Journalism, 18151914. Jefferson: McFarland & Company, Inc., Publishers, 2007: 135.

72 Ulf Jonas Bjork. Germany: MassCirculation Newspapers shaped by an Authoritarian Setting. // Edited by Ross F. Collins and E. M. Palmegiano. The Rise of Western Journalism, 1815-1914. Jefferson: McFarland & Company, Inc., Publishers, 2007: 127.

73 Ulf Jonas Bjork. Germany: MassCirculation Newspapers shaped by an Authoritarian Setting. // Edited by Ross F. Collins and E. M. Palmegiano. The Rise of Western Journalism, 1815-1914. Jefferson: McFarland & Company, Inc., Publishers, 2007: 129.

74 Ulf Jonas Bjork. Germany: MassCirculation Newspapers shaped by an Authoritarian Setting. // Edited by Ross F. Collins and E. M. Palmegiano. The Rise of Western Journalism, 1815-1914. Jefferson: McFarland & Company, Inc., Publishers, 2007: 129.

諸多報刊普遍習慣轉發其它報刊消息這兩個現實情況又使得主動的新聞採訪活動在德國報界無利可圖[75]，德國記者們的積極性無法被調動起來。另一方面，電報業務的發展使得新聞報導越來越傾向於簡潔和及時，可是，編輯部卻要為此付出很高的費用。德國的編輯們為此感到憤懣，他們「發展出了一種特殊的具有德國風格的新聞寫作方式，即傾向於發表意見、進行解釋和做出論證，這種風格使得編輯部社論的地位勝於消息的地位而成為報刊的關鍵。」[76]

關於彼時的德國報業，還有兩個方面不能遺漏。第一是十九世紀後半葉政黨報刊在德國的發展狀況。當時，有黨派傾向的報刊夾在政府控制的報刊和獨立的自由主義報刊之間，面對生存與政治立場等多方面的矛盾，往往很難生存。[77]「與廣義上的自由主義報刊相比，真正的政黨報刊規模都相對較小，許多自由主義報刊在其政治觀點方面都表現出了『公正』，這使得十九世紀末的德國報刊體現出明確的非政治性。」[78]而這種非政治性的另一原因要歸於俾斯麥當政時期留下的印記，「記者要麼受到政府公開打擊和法律的威脅，要麼接受政府的信息為政府說話，這讓許多自由主義編輯掙扎得精疲力竭。許多持

75 Ulf Jonas Bjork. Germany: MassCirculation Newspapers shaped by an Authoritarian Setting. // Edited by Ross F. Collins and E. M. Palmegiano. The Rise of Western Journalism, 1815-1914. Jefferson: McFarland & Company, Inc., Publishers, 2007: 129.

76 Ulf Jonas Bjork. Germany: MassCirculation Newspapers shaped by an Authoritarian Setting. // Edited by Ross F. Collins and E. M. Palmegiano. The Rise of Western Journalism, 1815-1914. Jefferson: McFarland & Company, Inc., Publishers, 2007: 129.

77 Ulf Jonas Bjork. Germany: MassCirculation Newspapers shaped by an Authoritarian Setting. // Edited by Ross F. Collins and E. M. Palmegiano. The Rise of Western Journalism, 1815-1914. Jefferson: McFarland & Company, Inc., Publishers, 2007: 131.

78 Ulf Jonas Bjork. Germany: MassCirculation Newspapers shaped by an Authoritarian Setting. // Edited by Ross F. Collins and E. M. Palmegiano. The Rise of Western Journalism, 1815-1914. Jefferson: McFarland & Company, Inc., Publishers, 2007: 132.

自由主義態度的編輯選擇了退出政治話題，這就導致了許多德國報刊持守著一種超然的中立態度。到第一次世界大戰，德國有一半的報刊都是無黨派的。」[79]第二是十九世紀末大眾化報刊開始在德國興起。在大眾化報刊的概念中，解釋和描述被認為是互相獨立的，然而在彼時的德國報刊中，對事實的陳述往往會呈現出鮮明的觀點，因為，在大多數情況下，報刊的政治立場都是相當明確的。[80]直到二十世紀，德國的大眾化報刊也從未擺脫這樣的特點，這也是不能將那一時期的德國報刊與英美以及其它歐洲國家報刊同一而論的原因之一。德國大眾化報刊開始出現的最重要意義在於，刊載內容逐漸豐富，並開始重視排版和印刷樣式[81]，另外，大眾化報刊注重提升發行量的特點使得德國報刊開始打破僅僅靠訂閱而發行的單一方式，從報刊亭零售逐漸增多，到一九〇四年政府解除了沿街叫賣報刊的禁令，德國終於有了真正意義上的大眾化報刊。[82]

以上便是《德文新報》背後所倚靠的德國報業發展概況。由此，在近距離探究這份在華德文報刊的來龍去脈時，筆者已經不能將研究對象孤立地放在近代中國報業的背景下了，因為彼時德國報業制度和報業傳統是否深深影響甚至帶領著《德文新報》前進，已經成為揮之不去的疑問。

---

79 Ulf Jonas Bjork. Germany: MassCirculation Newspapers shaped by an Authoritarian Setting. // Edited by Ross F. Collins and E. M. Palmegiano. The Rise of Western Journalism, 1815-1914. Jefferson: McFarland & Company, Inc., Publishers, 2007: 125-126.

80 Paolo Mancini. Is There A European Model of Journalism? // Eidted by Hugo de Burgh. Making Journalists. London: Routledge, 2005: 85.

81 知名出版人 Ullstein 在二十世紀初創辦的大眾化報刊 BZ am Mittag 是典型的代表之一。

82 Ulf Jonas Bjork. Germany: Mass Circulation Newspapers shaped by an Authoritarian Setting. // Edited by Ross F. Collins and E. M. Palmegiano. The Rise of Western Journalism, 18151914. Jefferson: McFarland & Company, Inc., Publishers, 2007: 134.

## 第四節　近代西方各國報業傳統向中國移植

由前文的分析可以肯定，若要探究彼時的在華外文報刊，一定無法拋開西方新聞業在那一時期的發展歷史：報刊作為近現代社會的重要因素，其存在已不僅僅是一種傳播工具，因為，報業的成長會帶來制度的形成。「在中國，滿清王朝的迅速崩潰，最終使得人類歷史上最偉大、最悠久的文明，被削弱為一個巨大的黑洞。」[83]在接下來的近半個世紀中，這個黑洞一直在被西方因素填補著，這個過程是不自覺的，從某種意義上講，也是必然的。十九世紀後半葉，在華辦報的各個西方國家，無論其政治、經濟以及社會狀況發展到哪個階段，都已形成了自己的報業制度。在華外文報刊對中國近代新聞事業起到了孕育與示範作用，這一點在學界已經獲得普遍認同。外文報刊進入中國，不僅意味著一種新事物出現，更重要的意義在於，一種新的制度被引入中國。如前所述，在十九世紀至二十世紀前期這段時間，西方各主要國家都逐漸形成了各自不同的報業制度，因此，當英、美、德、法等不同國家的報刊在中國出版，多樣化的西方報業制度也就隨之被帶入了中國。這是我們在研究近代在華外報時不應當忽視的。

但是，目前學界對於在華外報的研究主要針對的是報刊內容分析和新聞業務介紹，還沒有深入到各國報業制度及報業傳統的層面。學者們大多從近代中國報業的產生過程中觀察到了現象和效果，即西方外來傳教士及商人在中國創辦、發行報刊，目的是為其自身願望（傳教）和利益（商業活動）服務，同時將近代報刊介紹到中國。筆者以為，西方外來者在中國辦報這一行為更重要的意義在於，他們將西方

83 邁克·亞達斯、彼得·斯蒂恩、斯圖亞特·史瓦茲撰，大可、王舜舟、王靜秋譯：《喧囂時代：二十世紀全球史》（北京市：三聯書店，2005年），頁17。

近代報業制度和新聞專業傳統帶入了中國。比起某報刊出現及其所產生的暫時利益而言，一種制度的進入對一個領域乃至整個社會的發展必然具有更深遠的意義。也就是說，在華外文報刊為近代中國帶來的不僅是西方先進的思想及科學技術知識，也不僅是為近代中國報人如何編輯出版報刊做了示範，更重要的價值在於，在華外報為近代中國帶來了先進的報業理念、傳統及制度，國人可以拿來為我所用，推動社會進步。創辦一份報刊，僅僅只能在一段時期內、一定範圍內作為社會工具服務大眾；引入報業制度，卻能在潛移默化地滲透中為近代中國社會制度注入新的細胞。十九世紀後半葉到二十世紀前半葉的近百年正是中國社會變革最為劇烈的時期，國人辦報一直處於時斷時續的艱難狀態中，如果只是社會變革的需要，作為傳播工具的報刊是容易死亡的，逐漸形成報業制度才是支撐報刊不會消亡的根本。

陳旭麓先生在論及中國近代報刊時提到：「報刊於今最有功，能教民智漸開通。眼前報館如林立，不見『中央』有『大同』（當時的報刊名稱）。」[84]雖然陳先生著述的研究對象並不是近代報刊，此處的論述是為論證其它問題而服務的，但先生談及近代報刊的段落，較多地著墨於報刊的功用和辦報思想這兩個方面，這位歷史學家對於近代中國報刊的論述恰恰代表了近代中國報刊史研究的現狀：多側重於分析報刊作為大眾傳播工具的作用，而忽視了探討報刊及報業制度本身的問題。

## 第五節　《德文新報》的研究價值所在

二十世紀三〇年代，趙敏恒著《外人在華的新聞事業》一書，是

84 陳旭麓：《近代中國社會的新陳代謝》（上海市：上海社會科學院出版社，2006年），頁58。

當時這一領域的代表性文獻，但是，該著述在論及德國在華新聞事業時卻首先表明「德國在華的新聞群組織，沒有佔有重要的地位。在華的德國報刊，總共僅有三種。」[85]趙著對於德國在華報刊是從二十世紀二〇年代的《橋報》（Die Brücke）開始說起的[86]，至終未有提及《德文新報》。另外，該著還認為，德國在華所辦的「這些報刊不僅篇幅很小，而且出版停刊也沒有一定。他們沒有登載過什麼消息或文章，足以引起一般人之注意的」。[87]暫且不論其它相關統計資料是否準確，單就上述兩處引文來說，筆者就必須質疑，而《德文新報》就是支撐筆者質疑的有力論據。

事實上，趙著中對德國在華新聞事業的描述恰能反映學界對這一問題的研究現狀。自《德文新報》停刊至今，在諸多關於在華外文報刊的研究論述中，普遍沒有重視德國在華新聞事業，這也導致了在華連續出版超過三十年的《德文新報》一直處於被忽視的狀態，只能在新聞史中偏安一隅。

本文選取《德文新報》為研究對象，不僅是為在華外文報刊的基礎性研究做出適當補充，而且希望以《德文新報》為切入點，探究德國在華新聞事業在近代中國報業發展的歷史中扮演了怎樣的角色。這項個案研究，既將曾經淹沒在歷史碎片中的德國在華報業活動展現了出來，又有可能為相關研究提供可行的視角。

85 趙敏恒：《外人在華的新聞事業》（上海市：中國太平洋國際學會，1932年），頁64。
86 趙敏恒：《外人在華的新聞事業》（上海市：中國太平洋國際學會，1932年），頁65。
87 趙敏恒：《外人在華的新聞事業》（上海市：中國太平洋國際學會，1932年），頁64。

# 第三章
# 為遠東地區的德國人利益服務
## ——《德文新報》在華三十一年

在中國近代史的記錄中，清王朝的衰落，地理大發現的推動，傳教士的使命，工業革命的出現，西方世界的崛起，海外貿易的發展……這些都可以被列入之所以會出現一八四〇年之後的中國景象之原因。不管在怎樣的背景下、懷著怎樣的目的，如果越來越多的西方人進入中國是歷史發展到十九世紀的必然，那麼出現在人類歷史上的近代報刊被帶入中國也是一種歷史的必然。因為恰好是在十九世紀中葉，古老中國被動地結束了閉鎖的歷史；也恰好是在那個時候，近代報刊已經作為西方國家社會生活中必不可少的角色逐漸形成傳統，並在持續的抗爭中不斷建立起新的報業制度，成為整個社會制度中的重要一環。那麼。歷史的事實使我們必須承認，既然越來越多的德國人作為西方人中的一部分進入中國，並在影響近代中國社會進步的諸多方面逐漸產生不能磨滅的積極作用，那麼，德國報刊和德國報業制度被帶入中國，也是不能違背歷史發展規律的必然。

## 第一節　關於創刊時間的考證

十九世紀後半期，在近代中國已經出現了許多西方人編輯出版的近代報刊，德國報刊也不例外，因為被保存下來的《德文新報》就是最好的論據。一份報刊承載著人類社會的歷史，也承載著報刊本身的歷史。與其它諸多在華外報不同的是，在今人的記錄裏，對於《德文新報》的創刊時間眾說紛紜，這些分歧的時間跨度有三十餘年之大。十九世紀正是晚清社會變動最為劇烈的時期，在《德文新報》創刊時間說法上存在的分歧必然影響對於這份報刊創刊背景的分析。因此，與一般報刊研究不同，本文對於這份報刊的分析將從創刊時間的考證開始。只有確定了創刊時間，才能準確定位背景分析的歷史時段。

關於《德文新報》的創刊日期，筆者在研究過程中驚訝地發現，單就創刊年份來說，各類著述、文獻中竟出現了五種以上的版本，所出現的分歧主要集中於以下幾個年份：一八六六年，一八八六年，一八八七年，一八八九年和一八九五年。[1]

1 一般來說，關於近代報刊史的信息多取自戈公振先生的《中國報學史》。根據該著述記載，《德文新報》創刊於一八六六年。《中國報刊辭典（1815-1949）》（王檜林、朱漢國主編：《中國報刊辭典（1815-1949）》〔太原市：書海出版社，1992年〕，頁4），《中國近代報刊史參考資料（上冊）》（中國人民大學新聞系新聞事業教研室：《中國近代報刊史參考資料（上冊）》（北京市：中國人民大學新聞系內部印本，1980年〕，頁33），《中國新聞事業圖史》（方漢奇：《中國新聞事業圖史》〔福州市：福建人民出版社，2006年〕，頁30），《近代上海城市研究（1840-1949年）》（張仲禮：《近代上海城市研究（1840-1949年）》〔上海市：上海文藝出版社，2008年〕，頁926）等均與此說法一致。《中國新聞事業編年史（上冊）》則在同一冊書的不同位置兩次談及《德文新報》創刊時，出現了一八六六年和一八八六年兩種說法（方漢奇：《中國新聞事業編年史（上冊）》〔福州市：福建人民出版社，2000年〕，頁42、頁80）。寧樹藩先生修正此年份為一八八七年（寧樹藩：《寧樹藩文集》〔汕頭市：汕頭大學出版社，2003年〕，頁346、頁524），但未提供考證理由。《上海通史（第六卷‧晚清文化》（熊月之、張敏：《上海通史（第六卷‧晚清文化）》〔上海市：上海人民出版社，1999年〕，頁46）中呈現的也是一八八七年的說法。另有曾虛白《中國新聞史》（曾虛白：《中國新聞史》〔臺北市：三民書局，1966年〕，頁186），《中國近代現代出版通史（第一卷）》（葉再生：《中國近代現代出版通史（第一卷）》〔北京市：華文出版社，2002年〕，頁208），《中國近現代史大典（上冊）》（劉和平主編：《中國近現代史大典（上冊）》〔北京市：中共黨史出版社，1992年〕，頁613），《上海新聞史（1850-1949）》（馬光仁：《上海新聞史（1850-1949）》〔上海市：復旦大學出版社，1996年〕，頁28）等認為《德文新報》創刊於一八八六年。《中國印刷近代

關於這一問題，在《德文新報》原件中不難找到答案。一八九九年至一九一七年每期《德文新報》報頭位置，在左欄第一句話中都可以看到該報創刊於一八八六年的信息。[2]關於創刊具體日期，《上海新聞志》記錄為一八八六年十月一日（清光緒十二年九月初四）[3]，另

史初稿》（范慕韓：《中國印刷近代史初稿》〔北京市：印刷工業出版社，1995年〕，頁127）和寧樹藩先生的更正（寧樹藩：《寧樹藩文集》〔汕頭市：汕頭大學出版社，2003年〕，頁524）中則分別給出兩種說法，均未有確鑿的結論。民國時期旅德學者王光祁在敘述該報時，將該報的創刊年份記為一八九五年（王光祈：〈王光祈旅德存稿〉，《民國叢書》〔上海市：中華書局，1936年，上海書店影印本〕，第五編—75，頁266）。柏林自由大學漢學家在〈German Influence on the Press in China）一文中，認為該報始於一八八九年。另有《中國新聞學之最》（方漢奇：《中國新聞學之最》〔北京市：新華出版社，2005年〕，頁11）在給出一八八六年的創刊時間之後，在關於該報簡介的末尾處添加「另有材料說為一八六七年」的說法。德國許多介紹近代中德關係歷史的網站也有《德文新報》的介紹，例如有相關資料中將該報創刊年份記錄為一八九九年。（網路資源 http://www.jaduland.de/kolonien/asien/kiautschou/text/diverses.html "Die älteste Zeitung aus China wurde im Jahre 1899 unter dem Namen *Ostasiatischer Lloyd* gegründet."）

2 《德文新報》在發展中不斷有版面變化，一八九九年一月九日（第十三年十五期）報頭左側該信息原文為"Der „Ostasiatische Lloyd," im Jahre 1886 hierselbst gegründet, erscheint in Schanghai einmal wöchentlich."（《德文新報》，周刊，一八八六年創刊於上海）。一八九九年一月十四日（第十三年十六期）由於出刊時間變化，調整為"DER OSTASIATISCHE LLOYD, dieälteste deutsche Zeitungim Osten (gegründet 1886), erscheint in Schanghai Sonnabends Nachm."（遠東地區最早的德文報刊《德文新報》（一八八六年創刊），每周六下午上海發行）。一九〇〇年三月三十日（第十四年十三期）出刊時間提前，更改為"DER OSTASIATISCHE LLOYD, dielteste deutsche Zeitungim Osten (gegründet 1886), erscheint in Shanghai Sonnabends Morgens."（遠東地區最早的德文報刊《德文新報》（一八八六年創刊），每周六上午上海發行）。一九一二年一月五日（第二十六年一期）出刊時間再次提前，此處信息更改"DER OSTASIATISCHE LLOYD Alteste deutsche Zeitung Ostasiens (gegründet 1886) erscheint jeden Freitag Abend."（遠東地區最早的德文報刊《德文新報》（一八八六年創刊），每周五晚發行）。

3 需要說明的是，關於《德文新報》創刊時間這一點，《上海新聞志》在同一冊的不同位置又出現了一八六六年的記錄，前後並不一致。賈樹枚主編、《上海新聞志》編纂委員會編：《上海新聞志》（上海市：上海社會科學院出版社，2000年），頁142。

有新聞通史著述顯示為一八八六年一月[4]，雖然該報出版首期的原件未能獲得，而且，在一八九九年之前，報頭位置並未注明創刊年份，但是《德文新報》在標注日期的相鄰位置通常會注明本期是該報出版的第幾年及本年度第幾期許多歐美報刊將這一傳統保留至今，例如美國《華盛頓郵報》（The Washington Post）、德國 Allgemeine Hotelund GastronomieZeitung 等，都會在日期位置標注出版年數。因而，只要拿到幾份報刊原件，便不難推算創刊時間。根據報頭信息及相鄰兩期間隔時間，首先確定該報為周刊，那麼每年出版五十期左右。例如，一八九六年八月二十一日出版的《德文新報》為第十年第四十六期，一八九六年九月二十五日為第十年第五十一期，一八九七年十月二日為第十一年第一期。由以上三份報刊原件顯示的信息可以確定：《德文新報》以周刊形式出版，每年十月開始重新記年。那麼，可以通過推算得到以下結論：該報創刊於一八八六年十月初期。

那麼，最後，這份報刊究竟誕生於哪一天？根據筆者前述，目前各類相關資料所呈現的均是沒有考證的結論，讓人無從挑選可能正確的答案。然而，歷史從來不會孤單地藏匿起來：一八八六年十月二日，上海出版的《字林西報》（North-China Daily News）中報導了關於《德文新報》創刊的消息，這段不足百詞的報導第一句話就是：「昨天，《德文新報》創刊。」[5]胡道靜先生所言「今日的新聞，即明日的歷史」[6]恰好在這裏得到印證：在昨天的新聞中，我們看見了今天的歷史——《德文新報》創刊於一八八六年十月一日（清光緒十二年九月初四）。

---

4 馬光仁：《上海新聞史（1850-1949）》（上海市：復旦大學出版社，1996年），頁1102。

5 原文為"The first number of *Der Ostasiatische Lloyd* made its appearance yesterday." North-China Daily News, 1886102 (323).

6 胡道靜：〈情報·新聞·歷史〉，《報學雜誌》，1948年第1期，頁5。

# 第二節　在報刊背後
## ——《德文新報》的創刊背景

當報刊在人類社會出現並逐漸開始扮演重要的社會角色，這一現象就不僅僅是作為一種社會傳播工具而存在了。當人類社會已經離不開報刊的時候，這一現象也就逐漸成為一種社會制度，在人類社會紮根。在近代中國，亦是如此。

## 一　早期出現在中國的近代報刊（一八八六年以前）

中國新聞史學界提起最早的中國近代報刊，都會首推一八一五年創刊於麻六甲的《察世俗每月統記傳》，因為，雖然該刊物出版地不在中國，但其發刊與中國有直接的聯繫。倫敦布道會傳教士選定報刊這一傳播形式進行布道，自此，為近代報刊進入中國打開了大門。但是，有新聞史學家也分析說，「這份雜誌樣式的刊物很少有新聞報導，對科學等知識進行解釋說明的文章和福音類的文章又幾乎沒有新聞性可言。因而，《察世俗每月統記傳》只能說是一份定期出版的宣傳冊（periodical tract），卻算不上是具有新聞性質的月刊（monthly journal）[7]。一八三三年，由普魯士傳教士郭士立（Karl Friedrich August Gützlaff, 1803-1851）創刊於廣州的《東西洋考每月統記傳》（Eastern and Western Oceans Monthly Investigation）是中國境內最早出版發行的近代報刊。在當時清政府嚴格的宗教政策限制之下，這位普魯士傳教士在將中國境外報刊轉入境內的問題上起到了關鍵作

7 Rosewell S. Britton. The Chinese Periodical Press. Shanghai: The Press of Kelly & Walsh, LTD., 1933: 1920.

用。[8]更為重要的在於，這份刊物已不同於《察世俗每月統紀傳》，編輯內容的重點不再是基督教教義的介紹，而是以介紹西方知識與文明為主。從報業發展的角度來看，該刊幾乎每期都闢有「新聞」欄，借由西方船隻航運而來的信件或報刊為訊息源，報導各國近況，這是意義重大的。[9]雖然彼時的所謂「新聞」只是一些概況和介紹，至少，近代報刊的基本性質已經在中國顯現了。另外，郭士立公開呼籲商界人士支持與幫助（包括訂閱或捐款等方式），以便維持報刊經費的做法，是近代報刊的又一特徵的體現。[10]

鴉片戰爭失敗，清政府不得不向西方各國打開了中國多個沿海城市的大門，近代報刊、雜誌就此在各通商口岸的外國人社區中出現。西方新聞業就這樣進入了中國人的視野。隨後，在十九世紀下半葉，中國社會所經歷的調整和改革也為近代中國報刊的發展提供了客觀條件。[11]

鴉片戰爭之後，從《遐邇貫珍》（The Chinese Serial）、《六合叢談》到《孖剌報》（The Daily Press）、《香港船頭貨價紙》，新聞消息、貿易信息、布告廣告等內容逐步成為中國近代報刊中的因素。這些由英美傳教士或商人創辦的近代報刊正是中國近代報刊的最初樣式。後來出現的對中國近代報業影響更為深廣的中文《申報》、《上海新報》，英文《北華捷報》（North-China Herald）、《字林西報》（NorthChina

8 Rosewell S. Britton. The Chinese Periodical Press. Shanghai: The Press of Kelly & Walsh, LTD., 1933: 22.

9 卓南生：《中國近代報業發展史：1815-1874》（北京市：中國社會科學出版社，2002年），頁51-54。

10 卓南生：《中國近代報業發展史：1815-1874》（北京市：中國社會科學出版社，2002年），頁59。

11 Rosewell S. Britton. The Chinese Periodical Press. Shanghai: The Press of Kelly & Walsh, LTD., 1933: 17.

Daily News）等也均出自英美人之手。當近代報刊這一社會現象在近代中國逐漸穩定並紮根時，它就不僅僅只是一種信息傳播工具了，英美報業的傳統和制度在潛移默化中滲透入中國社會。被卓南生先生稱為「中國人自辦成功的最早中文日報」[12]的《迴圈日報》雖然以「華人資本、華人操權」為標榜[13]，卻無處不顯露出英美報刊範式的影子。根據卓南生先生的著述，在國人還並未完全接受近代報刊這一社會傳播工具的時候，該報總主筆王韜曾不遺餘力向讀者介紹報刊功能與影響等相關信息，還曾專門「介紹歐美報業發達情況及報人辦報態度」。[14]由此來看，顯然，在十九世紀七〇年代前後，英美與歐洲大陸各國新聞業發展程度存在差異這一問題被忽視了。以王韜為代表的那一時期的中國報人所讚賞和憧憬的是英美報業的樣式。由於當時進入中國的外報以出自英美人之手居多[15]，因此可以說，那一時期，中國的近代報刊主要遵循的是英美報業傳統。

綜觀一八八六年前的近代中國報業，德國因素尚未顯現。對中國報業有重要貢獻的傳教士郭士立也僅僅是有普魯士血統而已。那麼，為什麼德文報刊在中國出現的時間恰好在一八八六年，是偶然還是必然呢？

---

12 卓南生：《中國近代報業發展史：1815-1874》（北京市：中國社會科學出版社，2002年），頁179。

13 卓南生：《中國近代報業發展史：1815-1874》（北京市：中國社會科學出版社，2002年），頁182。

14 卓南生：《中國近代報業發展史：1815-1874》（北京市：中國社會科學出版社，2002年），頁186-188。

15 到十九世紀七〇年代，在華外報多出自英美人之手，或是英文報刊，或是英美人所創辦、經營的中文報刊。這與當時英美人進入中國的數量相對較多也有關係。雖然一八七〇年便有法文報刊在中國出版，但彼時各小語種報刊尚未形成規模，對報業影響尚未明顯表現出來。至於鴉片戰爭之前出現的葡萄牙文報刊，因為主要集中在澳門，因而對中國近代報刊發展的影響更為有限。

## 二　十九世紀的德國與中國

真正意義上的「德國」的概念始於一八七一年普法戰爭後的德國統一。在此之前，在歐洲的心臟位置的那塊土地還是一片鬆散的邦聯，以普魯士最為強大。

當英國人通過鴉片戰爭的戰後條約獲得對華貿易的許多特權時，德國人在這條路上才剛剛起步。十九世紀前半葉到達中國進行活動的德國人還屈指可數。對於當時還沒有統一國家的德國人來說，政治上的分裂成了他們在國際競爭中的劣勢。作為漢薩同盟成員之一的港市不來梅[16]在十九世紀時尤其致力於開拓海外貿易，早在一八四七年就開通了北美定期航線。一八五七年左右，來自漢堡、不來梅和普魯士等地[17]的商人在英商的帶領下來到上海，但是，直到一八六七年，他們之中才只有一個普魯士商人被官方記錄在冊。[18]

一八七一年德國統一，為這個國家帶來了新的機會，尤其是在國際競爭中。有「鐵血宰相」之稱的俾斯麥主導政府制定了各方面的國家發展方案，一八八六年召開的政府會議上表明，進行對外擴張是這一時期德國發展的重要策略。[19]對外貿易的進展在這一方面表現得尤為明顯。不來梅於一八八五年開通對華航線，由此開始，德國商人與遠東地區的貿易不再依靠英國人。到十九世紀後期，在第二次工業革

---

16 漢薩同盟是一個由商人組成的，包括北海、波羅的海沿岸及內陸共九十多個貿易城市參加的強有力的城市同盟。一八七一年德國統一，不來梅作為自由市加入，第二次世界大戰後，不來梅市與不來梅港兩個城市聯合組成一個州加入德國聯邦。

17 此處指在一八七一年成為統一的德國的地區。

18 Hosea Ballou Morse. The International Relations of the Chinese Empire. Volume I: The Period of Conflict 18341860. Honolulu: University of Hawaii Press, 2008, 347.

19 迪特爾·拉甫：《德意志史——從古老帝國到第二共和國（中文版）》（波恩市：Inter Nationes，1987年），頁178。

命的背景之下，德國人在遠東的實力漸漸趕超老牌資本主義強國，在中國的市場上佔有重要的地位。在十九世紀，媒介傳遞信息對於人類社會已經是相當重要的一個因素。貿易與商業活動需要頻繁的信息交流，近代報刊就成為不可或缺的傳播媒介。自一八五〇年英商主辦《北華捷報》[20]（North-China Herald）在上海創刊，到一八六四年擴展為《字林西報》（North-China Daily News），外商的許多重要商業信息都依靠該報進行傳遞和報告。但是，德國人在遠東地區，尤其是在中國的貿易擴張已經對媒介信息傳播有了更高的要求，僅僅靠他國報刊不能與其在華的貿易及其它產業發展相適應。也正是在這樣的情況之下，創辦德國人自己的在華刊物就成為必然。

## 三　在華外報情況
## ——德國人與其它在華外國人的矛盾

在一八八六年《德文新報》創刊之前，中國外文報刊主要以英文報刊為主，各國商客的信息交流在很大程度上要借助《字林西報》等主要英文在華報刊。首先，在語言方面，英文報刊佔有很大優勢；其次，在報業傳統與發展方面，十九世紀後半期的英美報業已經進入大眾報業時代，採用商業化報刊運營模式，這更加順應了報業及各類貿易、產業活動發展的趨勢。在十九世紀七〇至八〇年代的《字林西報》中，就經常會見到以英文、德文刊出的與德國貿易活動有關的廣告、通告等內容。

然而，自一八七一年開始，統一的德國逐漸形成並完善了對外擴張的政策，對遠東，尤其是對中國的貿易活動是其中重要的一項。隨

20 英文《北華捷報》（North-China Herald）繫上海近代史上第一份近代報刊，周報。後成為英文《字林西報》（North-China Daily News）的星期副刊。

著晚清政府與西方國家不斷簽訂新條約，中國對外的大門不再虛掩，在德國本土經濟實力的支撐之下，德國人越來越多、越來越快地進入古老的中國，為這裏注入新的活力，也不斷從這裏帶走他們所需要的利益。

很快地，德國人在商業和產業方面的優秀表現讓原本佔據中國對外貿易絕對優勢的老牌資本主義強國感到擔心。而德國人也感到，對於在華產業、貿易活動信息交流至關重要的傳播媒介——報刊，他們已經不能再依靠他人所給予的有限版面。當時，德國人在報刊上的劣勢已經顯露無遺：英美報刊已佔據中國外文報刊的主導地位，一八七〇年，法國人在上海也創辦了自己的報刊[21]，在一八八四年的英文刊物《晉源西報》（Shanghai Courier）中，又出現了法文商業刊物在中國徵訂的廣告。[22]隨著越來越多的德國人來到遠東地區，進入中國，面對強大的競爭對手，很顯然，他們需要一份自己的報刊，既為各種擴張利益的活動傳遞信息，也為遠離家鄉的德國人提供服務，建立精神家園。

另外，非常重要的一點是，如前文所述，從報業傳統的角度來看，十九世紀後半葉，英美報業已經進入大眾化報刊時代，而德國的報業依然被政府嚴格控制，並且，在報刊編輯、出版發行等方面也與英美國家存在很大的差異。無論是從報業制度、報業傳統，還是從讀者的閱讀習慣等方面而言，這些都成為德國人需要一份自己的在華報刊的堅定理由。直到一八八六年十月一日《德文新報》創刊，德國人在遠

---

21 清同治九年閏十月十三日（一八七〇年十二月五日），法租界公董局支持法商比埃創辦法文周刊《法國七日報》，又名《上海新聞》（la nourlliste de shanghai），並指定法租界公董局會議記錄摘要和有關通告，均在該報公佈。

22 在一八八四年二月二日的《晉源西報》廣告中，可見法國巴黎出版的月刊 THE FRENCH TRADE JOURNAL & EXPORTER——Produce Market Review and General Prices Current. 面向中國徵訂的廣告。

東地區終於有了自己的刊物，「遠東地區德國人利益之音」（ORGAN FR DIE DEUTSCHEN INTERESSEN IM FERNEN OSTEN.）也就成了該刊的辦報宗旨。然而，《德文新報》的創刊有著更深遠的意義，即在華外報並非是英美報業傳統的專屬，在十九世紀後半期，近代中國報業史中注入了一股新的力量──德國報業作為一種不同於彼時英美報業的傳統和制度進入中國報業制度的建構和發展中。由此可見，在近代在華外報的歷史中，西方報業的概念並不等於英美報業，雖然，德國等其它小語種西方國家的在華報刊在當時的知名度並不能與英美報刊相抗衡，但是，它們著實以不同的姿態存在、發展並產生了某些作用，這就確鑿地定義了近代中國外報制度的多樣性特徵，而這一點，又恰恰是在目前的新聞史研究中被忽視的。

## 第三節 《德文新報》在華三十一年歷程

關於《德文新報》，除了本文前述已經論證的創刊日期，還留有許多的疑問。這究竟是怎樣一份報刊？它為什麼偏偏是那個時候誕生了？究竟是誰成就了它的出世？

在現有的關於《德文新報》的論述中，大多用了這樣的描述：該報是德國在華利益機關和宣傳工具。然而，無論這種論述是否客觀準確，至少，它在襁褓中的樣子並非如此，它也絕不是生而即為「喉舌」之胚。只因為，並沒有多少人認真地去探究過它究竟是怎樣降生的。

本文所能利用的原始資料為一八九六年至一九一七年《德文新報》的報刊原件，由於此的限制，有關於《德文新報》的發端，以及一八八六年至一八九五年《德文新報》的狀況，則必須從零碎的歷史中開始拼接。目前，關於《德文新報》發行伊始的狀況，在諸多論述中較為一致的記載是這樣的：清光緒十二年九月初四（一八八六年十月一日），德商科發藥房附出一份德文日報，即《德文新報》（Der Ostasiatische Lloyd），創辦人那瓦勒（B. Navarra）兼任主編，隨後附在英文《晋源西報》（Shanghai Courier）中一起發行。一八八九年，《晋源西報》為《文匯西報》（The Shanghai Mercury）兼併，原在《晋源西報》隨刊附出的英文周刊《華洋通聞》（Celestial Empire）也併入該報，而《德文新報》則從此單獨發行，每周出刊。[23]英文著述 *A Research Guide to China-Coast Newspapers, 1822-1911*（中譯名《晚清西文報刊導要》）對於《德文新報》的記述為：最初以周刊出版，隨後附在英文《晋源西報》中每日發行，繼而獨立門戶。[24]由此可見，德文新報在最初十年經歷了獨自出刊、附刊發行、再次獨立出刊的過程，但是，最初以及後來究竟何時為日刊、何時為周刊發行，則眾說不一。既然一切源自科發藥房，那就由此追溯開來。

## 一　科發藥房與《德文新報》

據《上海醫藥志》記載，同治五年九月初二日（1866年10月10日），德國醫生科發（Kahlfus）開設科發藥房（KOFA），地址位於廣東路江西路口。同治十年（1871年）科發離開上海回國，將藥房轉讓給德籍藥劑師伏格爾和勞特，藥房則改名為 Voelkel& Schroeder

---

23 關於《德文新報》前期的發刊及發展過程，《上海新聞志》、《上海的發端》、《上海新聞史》等著述中的敘述基本一致。賈樹枚主編、《上海新聞志》編纂委員會編：《上海新聞志》（上海市：上海社會科學院出版社，2000年），頁142。葉亞廉、夏林根主編：《上海的發端》（上海市：上海翻譯出版公司，1992年），頁221。馬光仁：《上海新聞史（1850-1949）》（上海市：復旦大學出版社，1996年），頁28。

24 Frank H. H. King (editor) and Prescott Clarke. A Research Guide to ChinaCoast Newspapers, 18221911. Cambridge: East Asian Research Center Harvard University, 1965: 97.

Ltd.。光緒二年（1876年）六月二十七日，遷至大馬路（今南京東路江西路口後文對《德文新報》編輯部地址有相關論述，對照來看，科發藥房的地址與後來《德文新報》的編輯部非常臨近。）。光緒三十一年（1905年）改組為股份有限公司。宣統元年（1909年），在華德路（今長陽路）購地建廠，資本一百萬元。民國五年（1916年），增購基地，設酒精廠，專製酒精和酊劑。第一次世界大戰期間，兩名德籍資本家返回德國，而招收美商入股。民國八年（1919年）四月一日，改稱美商科發藥房（Kofa American Drug Company）。[25]

關於科發藥房與《德文新報》創刊之間的關係，雖然沒有更進一步的可靠證據，但從目前已有的線索來看，一八八六年十月一日，Voelkel& Schroeder Ltd. 藥房作為《德文新報》最初的發行處是存在可能性的。

首先，Voelkel& Schroeder 藥房的廣告及相關公告信息一直出現在《德文新報》的廣告信息中，從未間斷，直到一九一四年世界大戰爆發，《德文新報》廣告分量驟降，該藥房相關信息從此消失，這與《上海醫藥志》中提及的兩位藥劑師戰時回國恰好吻合。至少從《德文新報》一八九六年至一九一七年的報刊原件中可以分析得出，除了Voelkel& Schroeder 藥房，再也沒有另一廣告信息在該報中如此長期地佔有一席之地關於《德文新報》的廣告變化情況，第四章將專門作出論述。。那麼，毫無疑問，Voelkel& Schroeder 藥房與《德文新報》有著十分密切的聯繫。另外，在一八八六年《德文新報》創刊之前，Voelkel& Schroeder 藥房在《晉源西報》等英文報刊的廣告部分時有出現，在《德文新報》創刊之後，該藥房在其它報刊中的廣告逐漸減少並很快消失。

25 《上海醫藥志》編纂委員會編：《上海醫藥志》（上海市：上海社會科學院出版社，1997年），頁845-846。

一間藥房與一份報刊，本不易使人將兩者聯繫起來；但若確有相關聯之事，一定頗為有趣。遺憾的是，除上述之外，筆者暫時未找到更為有力的證據可以揭示科發藥房與《德文新報》創刊之初的關係。

## 二　為什麼叫做「Der Ostasiatische Lloyd」

許多人會對《德文新報》的德文刊名有所疑問：為何稱作「*Der Ostasiatische Lloyd*」（直譯為「東亞勞埃德報」）？從字面意義上來看，「Ostasiatische」譯為「東亞的」，這很容易解釋，那麼「Lloyd」又該做何解釋呢？熟悉德文的話可以瞭解，Lloyd 這個詞本不是在德文中經常能見到的。關於《德文新報》的德文刊名，當年該報的讀者就已經提出過這個問題。而《德文新報》上的一篇文章則給出了最好的解釋。[26]

關於報刊與「Lloyd」產生聯繫的故事，聽起來就像是對哈貝馬斯先生公共領域概念的實例解釋：英國投機商愛德華．勞埃德（Edward Lloyd）最早被提及是在一六八八年，當時他在倫敦塔街（Tower Street）上開了一家咖啡店，這裏有諸多商人、船主往來。這個聰明的店主便在店裏設置了船舶到達、出發等信息的信息板，為顧客提供免費信息。他知道，在不久之後，他的咖啡店就會成為航運信息的聚集地。而在那個時候，咖啡店也是不同政治黨派的集中之地。所以，愛德華．勞埃德自一六九六年開始，建立了周刊《勞埃德新聞》（Lloyds News）。這份刊物除了報導航運新聞和信息之外，也涉及政治新聞。然而，因為該報沒有抱以慎重的政治態度，不久之後就

---

26 本部分關於「Lloyd」作為報刊名稱的解釋依據均來自《德文新報》一九〇三年三月十三日第十七年十一期的文章„Der Name Lloyd." Der Ostasiatische Lloyd. 13. Mrz 1903, S.447-448.

被當地政府禁止了。不過，由於航運業的需要，新的以勞埃德的名字命名的航運信息刊物 *Lloyds List* 在一七二六年創刊。這一次，該刊遠離了政治，專注在航運領域發展。

因此，當德國人考慮在遠東地區創辦一份主要刊載航運和海外貿易信息的刊物時，就選擇了「Lloyd」這個與航運信息有特殊淵源的名字。

由《德文新報》刊物名稱的溯源來看，該報創辦之初是為了刊載航運及貿易信息的。因此，至少可以確定，在最初的時候，這份報刊並不是所謂的「喉舌」或「宣傳機關」，而僅僅是出於商業服務的目的，是為德國商人提供商業便利信息的媒介。

關於《德文新報》的創刊原因，並非只是分析其刊名而得出的結論。早在一八九六年，時任主編就曾對此事進行過敘述：《德文新報》，這份東方唯一的德文報紙能夠得以創刊，是與德國對外貿易的蓬勃發展以及德國在中國的影響日益劇增緊密相關的。德國，這個曾經扮演著從屬角色的國家，正在默默地努力為自己在中國市場上爭取一個獨立的位置，與此同時，這也就對英國多年來的優勢地位構成了威脅。[27]然而，彼時，在中國的外報領域，英國的地位卻無可撼動。「為了勉強維持自己正在萎縮的優勢地位，英國人在其所辦的報刊上對德國人在華的商業活動及德國人取得的成績進行貶抑；這讓我們（德國人）感到創辦一份自己的報刊是多麼地必要」。[28]由此，《德文新報》誕生了，「從那時起，這份報刊就致力於試圖減少這種由英國人所造成的不公平，並以此為首要任務。」[29]

---

27 Unser Standpunkt.DerOstasiatische Lloyd.2.Oktober 1896,S.6-8.

28 Unser Standpunkt.DerOstasiatische Lloyd.2.Oktober 1896,S.6-8.

29 Unser Standpunkt.DerOstasiatische Lloyd.2.Oktober 1896,S.6-8.

## 三　誰在主編《德文新報》

「歷史學家 James Retallack 說，後來成為新聞工作者中的許多人原來的工作往往是圖書館館長、郵政局長、政府官員或者律師，是他們原來的工作讓他們接觸到了與印刷出版相關的事情。」[30]從報刊發展的歷史來看，「十九世紀之前，報刊的內容是由印刷者和出版者進行採寫和編輯的，但進入十九世紀，專為報刊寫作的人便從報刊的生產者和所有者的角色中獨立出來。」[31]同時，「出版人開始脫離寫作和編輯的工作而專心於管理和經濟運營。專門從事報刊文章寫作的雇員越來越多，就其本身而論，這些作者一般都會遵從其雇主的意見，當時報刊文章作者匿名的傳統也使得這一說法更加確鑿。編輯的位置介於寫作雇員和出版人之間，需要署名，常常會因其工作受到尊敬。」[32]而在這同時，編輯也必須對報刊中的匿名文章承擔責任。[33]

---

30 Ulf Jonas Bjork. Germany: MassCirculation Newspapers shaped by an Authoritarian Setting. // Edited by Ross F. Collins and E. M. Palmegiano. The Rise of Western Journalism, 18151914. Jefferson: McFarland & Company, Inc., Publishers, 2007: 129-130.

31 Ulf Jonas Bjork. Germany: MassCirculation Newspapers shaped by an Authoritarian Setting. // Edited by Ross F. Collins and E. M. Palmegiano. The Rise of Western Journalism, 18151914. Jefferson: McFarland & Company, Inc., Publishers, 2007: 129-130.

32 Ulf Jonas Bjork. Germany: MassCirculation Newspapers shaped by an Authoritarian Setting. // Edited by Ross F. Collins and E. M. Palmegiano. The Rise of Western Journalism, 18151914. Jefferson: McFarland & Company, Inc., Publishers, 2007: 129-130.

33 編輯需對匿名文章負責在德國由來已久，始於一八五一年，給予普魯士政府控制報刊以寬泛的權利的法律條文出臺。所有報刊出版人必須辦理政府許可證，即所謂的「貿易優惠」，而且他們必須事先將一份未出版的樣刊交予警察局。報刊出版人需要交納保證金（法國自十九世紀二〇年代便出現這一款項），如果刊物的某一作者寫了有攻擊性的文章，那麼刊物的編輯或出版人應當對此負責。Ulf Jonas Bjork. Germany: MassCirculation Newspapers shaped by an Authoritarian Setting. // Edited by Ross F. Collins and E. M. Palmegiano. The Rise of Western Journalism, 18151914. Jefferson: McFarland & Company, Inc., Publishers, 2007: 117.

這一傳統在《德文新報》中也明確地體現了出來：《德文新報》報頭中出現主編名字的時候，也同時為他們添加了「負責人」的頭銜。主編的信息一般在《德文新報》報頭中刊出，由於匿名發稿是當時普遍存在的傳統，因而主編同時對報刊所刊載的內容負責。從筆者所能查閱的《德文新報》原件來看，一般在主編名字之前的注釋是：Herausgeber und verantwortlicherSchriftleiter/Redakteur[34]，即出版發行人和責任編輯。

關於《德文新報》的主編，綜合各個提及該報的著述來看，主要提到了兩個人的名字：布魯諾‧那瓦勒（B. Navarra）和卡爾‧芬克（C. Fink）。[35]一八九六年至一九一七年的《德文新報》原件中也給出了上述兩位報人在不同時期主編《德文新報》的確鑿證據。從筆者得以查閱的二十年《德文新報》原件中可以知道，該報在一八九六年至一九一七年期間先後經歷了兩任主編：一八九九年之前為那瓦勒（B. Navarra）任主編時期；一八九九年年初至一九一七年，則由芬克（C. Fink）擔任主編。那麼，究竟是怎樣的兩位報人在帶領著《德文新報》走過數十年的歷程呢？另外，在《德文新報》近三十一年的歷史中，的確只有這兩任主編嗎？

## （一）關於報人布魯諾‧那瓦勒（B. Navarra）

在任職《德文新報》主編之前，那瓦勒曾在一份東亞的英文報刊

34 Schriftleiter 和 Redakteur 都是編輯的意思，Schriftleiter 一般專指報刊的編輯，是漸舊的說法。Redakteur 在芬克與那瓦勒交接的時代取代了 Schriftleiter 的說法。Herausgeber 有「編者」和「發行人、出版者」兩方面的意思，《德文新報》報頭主編名字之前的注釋有時也僅以 Herausgeber 一詞標明。

35 較具有代表性的是胡道靜在《上海的定期刊物》一文中記錄德文周刊《德文新報》的編輯有兩位：B. R. A. Navarra 和 C. Fink。胡道靜：〈上海的定期刊物（下）〉，《上海市通志館期刊》，第1卷第3期（1933年12月），頁880。

編輯部工作長達十年時間[36]，這就保證了《德文新報》的報刊編輯及發行的專業性。在筆者查詢《德文新報》主編那瓦勒的相關信息時，所得到的最多的信息回饋是：那瓦勒，《中國漢子》（China und die Chinesen）一書的作者。論及那瓦勒在中國的二十年時間，最重要的成就莫過於此。*China und die Chinesen* 一書，直譯為「中國和中國人」，但本書一九〇一年由壁恒圖書公司（Max N 熸 ssler& Co.）。[37]在不來梅出版時，封面上與德文書名並列著一個更具中國味道的名字：中國漢子。非常關鍵的一點是，在那瓦勒這一著述的扉頁上鄭重表明了他與《德文新報》的重要關係：《德文新報》創始人之一，並擔任發行人及主編至一八九九年。

**圖一　《中國漢子》插圖及扉頁**

而該著述的副標題則是：記在中國的二十年。[38]由此來看，這不

36 B. Navarra. China und die Chinesen. Bremen: Max Nössler & Co., 1901: Vorwort III.

37 壁恒圖書公司（Max Nössler & Co.），十九世紀末至二十世紀前期遠東地區最重要的德文出版公司。包括《德文新報》在內的多數德文刊物、書籍，都由該公司負責運營，與當時著名的英文出版公司 Kelly & Walsh Co. 並駕齊驅。

38 原文分別是 Mitbegründer und bis 1899 Herausgeber und ChefRedakteur des „Ostasiatischen Lloyd" in Shanghai. 和 Auf Grundeines 20jhr. AufenthaltesimLande der

但可以幫助我們更多地瞭解《德文新報》創始之初的情況，而且，結合該著述前言所闡述的內容，可以推算出那瓦勒主編《德文新報》的時期。現有的確鑿事實有以下幾點：第一，在那瓦勒為該著述出版所寫作的《前言》中提到，他曾在東亞的英文刊物編輯部供職十年之久[39]；第二，那瓦勒於一八九九年離開《德文新報》；第三，根據《中國漢子》一書中記錄亨利希親王（Prinz Heinrich）在東亞的情況來看，一九〇〇年春天時，那瓦勒還留在中國[40]，而他為該書所作的前言落款時間為一九〇〇年十二月，落筆於不來梅[41]，由此來看，那瓦勒是在一九〇〇年回到了德國；第四，本著述副標題中提示那瓦勒在中國駐足時間為二十年。就此可以推斷出：第一，那瓦勒到達中國的時間為一八八〇年左右，供職於英文報刊十年，即到一八八九年至一八九〇年前後為止；第二，一八八九年恰好是《晋源西報》閉刊之時，結合本文前述早期《德文新報》很可能是附在這份英文報刊中發行的說法，那麼，那瓦勒早期供職的英文報刊很可能就是《晋源西報》，並在該報中負責《德文新報》部分的編輯；第三，那瓦勒開始任職《德文新報》主編的時間應當是《德文新報》脫離《晋源西報》獨立出刊之時，也就是說，那瓦勒主編《德文新報》是從一八八九年至一八九九年初，長達十年。

論及那瓦勒最重要的著述《中國漢子》，其中詳盡地介紹了晚清

---

MitteGeschildert von B. Navarra. B. Navarra. China und die Chinesen. Bremen: Max Nössler & Co., 1901，扉頁。

39 那瓦勒著述中所提及的其擔任《德文新報》主編之前曾供職於一份東亞的英文報刊長達十年之久，雖然未有提及是哪一份英文報刊，但那瓦勒提及這十年的經歷為《中國漢子》的成書累積了寶貴的素材，從這一記敘來看，他供職的這份英文報刊是在中國出版發行的。B. Navarra. China und die Chinesen. Bremen: Max Nössler & Co., 1901: Vorwort III.

40 B. Navarra. China und die Chinesen. Bremen: Max Nössler & Co., 1901: 497.

41 B. Navarra. China und die Chinesen. Bremen: Max Nössler & Co., 1901: Vorwort IV.

時期中國的政治制度、人文生活、信仰節慶等內容。無論是在英文報刊工作十年的經歷，還是「皇家亞洲文會中國支會」設在上海的圖書館豐富館藏，加之作者自己在華的真實經歷，這些都為該書的最終成書提供了有益的原始材料。那瓦勒擁有在華二十年的豐富經歷，卻在書中謙遜地表示，此書之內容並不能詳盡的展現中國人社會生活的所有細節，真正的中國和中國人是豐富而博大的。在《中國漢子》一書的扉頁上，注有那瓦勒出版該書的主題詞：「中國是一個未開放的世界。」[42]作者希望，這一代表他在華二十年研究成果的著述，以及他之前的相關工作[43]，能夠喚起人們對中國人和古老中國文化的興趣，以及對於這種陌生的生活方式的理解。[44]由此，我們無法懷疑，那瓦勒對彼時未開化的古老中國是有著深厚感情的。

這位主編的情感傾向也吸引著我們進一步去探求他主編之下的《德文新報》究竟是怎樣一份刊物。

**圖二　卡爾・芬克（Carl Fink）**

（圖片來源：OstasiatischeRundschau, 1940年3月22期）

42 原文為 China isteine Welt für sich. B. Navarra. China und die Chinesen. Bremen: Max Nössler & Co., 1901，扉頁。

43 這裏應當是指那瓦勒本人在華二十年的報人經歷。

44 B. Navarra. China und die Chinesen. Bremen: Max Nössler & Co., 1901: Vorwort.

## （二）關於報人卡爾・芬克（C. Fink）

芬克是一位積極活躍的報人[45]，與那瓦勒相似的是，他也曾供職於在華英文報刊。一九四一年德文刊物 *OstasiatischeRundschau*（中文刊物名《東方輿論》）中記載了芬克的生平：一八六一年三月二十九日，卡爾・芬克出生在德國的盧貝克。他先後在萊比錫和柏林大學學習政治和法律。在墨西哥和中美洲短暫停留之後，一八八八年他開始了自己在美國的記者生涯。隨後，芬克又回到德國工作多年。[46]

芬克何時到達中國，還未有明確查證，但有記錄提及芬克曾任英文《文匯報》（Shanghai Mercury）的董事[47]，英文著述 *A Research Guide to ChinaCoast Newspapers, 1822-1911*（中譯名《晚清西文報刊導要》）中認為《德文新報》在一八八九年獨立出刊後，與《文匯報》一直保持著聯繫（至少在經營方面如此）[48]，這一說法並非空穴來風。至少在芬克主編該報時期，應是如此。一八九九年芬克受聘任職《德文新報》的發行人及主編，直到一九一七年該報因大戰原因停刊。二十世紀初曾在《文匯報》任助理主筆的納許[49]（R. D. Neish）

---

45 一九〇三年時，芬克就曾書寫備忘錄建議在上海籌辦一所德國工科學校，這一備忘錄最後被呈遞至德國首相比洛。臬古平：《同濟大學100年》（上海市：同濟大學出版社，2007年），頁7。由此可見，芬克在社會活動中亦積極活躍。

46 Ostasiatische Rundschau. Mrz, 1940: 3-67.

47 甘惜芬：《新聞學大辭典》（鄭州市：河南人民出版社，1993年），頁285。另有著述也記錄了相關資料，認為《文匯報》同《德文新報》曾有聯繫，《德文新報》主編曾是《文匯報》董事會的成員，《德文新報》在《文匯報》的印刷廠印刷。余家宏、寧樹藩：《新聞學詞典》（杭州市：浙江人民出版社，1988年），頁340。

48 Frank H. H. King (editor) and Prescott Clarke. A Research Guide to China Coast Newspapers, 18221911. Cambridge: East Asian Research Center Harvard University, 1965: 97.

49 納許（R. D. Neish）應巴拉德（Ballard）之邀，於一九〇〇年一月一日（清光緒二十五年十二月初一）到達上海，後任職於《文匯報》多年。參見：上海通社編：《上海研究資料續集》（上海市：上海通社，1984年），頁332-333。

的一篇自述中記錄了這兩份刊物負責人芬克與開樂凱（Clark）之間的一段交往：「在開樂凱的訪客中，有一位德文周報的主筆，芬克（Fink），他說他來供給特殊的消息，但是總是有作用的，或是從中國報紙上得來的。這張德文報有一時期在字林西報館印刷，但是因為和德羅蒙海（Drummond Hay）即《字林西報》之獨裁的經理意見不合，就由亞諾爾特和卡堡（Arnhold and Karberg）出錢辦一個德文印刷所來印這張報，兼做別的印刷業務。[50]但是營業不大靈光，於是芬克來勸開樂凱去盤這印刷所，且有上海的幾家德國商行主顧做保證。於是文匯報業公司就增加資本，並收買了這家德文印刷所。可是哪些保證的主顧原來是虛言的，營業終於不利，印刷這張德文報紙起初尚有利潤。兩年之後，重訂條約，則竟是無利可圖了。但是彼此的關係仍舊保持著直到大戰時止。芬克和他的朋友不知在哪裡弄來一筆錢，我們便賣還給他一架舊機器及一套舊字模，搬到他們自己的屋子裏去。這結果呢，是使我們的資本過於估價了。」[51]暫且不糾結於事件的細節，這至少又佐證了這兩份在華外報之間一直保持著聯繫這一說法。

除上述之外，一九〇四年一月十一日，芬克在青島創辦了日報《青島新報》（Tsingtauer Neueste Nachrichten），青島當地原有的周報《德屬膠州官報》（Deutsch-Asiatische Warte）《德屬膠州官報》，原是《德文新報》的副刊，不定期出版，是青島歷史上最早的報刊之一。一九

---

50 關於《德文新報》的印刷，曾有著述提及《文匯報》在一八八九年收並《晋源西報》及《華洋通聞》後「承印《德文新報》（Der Ostasiatische Lloyd）」。參見：黃光域：《外國在華工商企業詞典》（成都市：四川人民出版社，1995年），頁157。另有一說為「《德文新報》一八八九年復刊後，曾一度由《字林西報》工廠承印。後自建德文印刷所，並承印其它業務。」參見：范慕韓：《中國印刷近代史初稿》（北京市：印刷工業出版社，1995年），頁127。

51 上海通社編：《上海研究資料續集》（上海市：上海通社，1984年），頁332-338。此處引用句法略有不通，係資料原文，未作改動。

○○年《青島官報》發行，為德國督署官方報刊，《德屬膠州官報》隨即停刊。隨即停刊。《青島新報》發行至一九一四年第一次世界大戰爆發時停刊。此後，他在中國繼續著自己的報人生涯，發行了包括德文、英文、中文在內的各類刊物，其中，第一次世界大戰期間還發行了用於戰時宣傳的德文《華德日報》（Deutsche Zeitung in China）。[52] 一九一九年芬克被中國驅逐出境，經由英國回到德國。回國後，他就職於海通社（Transocean-Gesellschaft）編輯部。他負責編審德國的政治經濟新聞，通過設在瑙恩市（Nauen）的電臺用英語向全世界進行廣播。之後，他在短暫的一段時間內為《東方輿論》（Ostasiatische Rundschau）的政治和日常新聞撰稿，從一九二六年起，又承擔了德僑聯合會雜誌《德國海外瞭望》（Deutschen Auslandswarte）的工作。一九二九年到一九三四年的時間裏，芬克還主編了德國海軍聯盟及德國海軍聯盟協會的雜誌。一九四三年，芬克逝世。[53]

芬克與《德文新報》的碰面始於一八九九年初，在擔任了一段時期發行人的工作之後[54]，他正式接手主編《德文新報》。在接任《德文新報》主編的這一時期，芬克還主辦了《遠東雜誌》、《協和報》等其它報刊。筆者在進一步查閱近代德國在華出版物的情況後發現，這位元職業報人在中國數十年的時間，幾近將自己所有的經歷都投入到報刊出版發行事業中，芬克這個名字幾乎與那一時期所有的德國在華報刊類出版物都建立了聯繫。但是，毫無疑問，主編《德文新報》十八年是其在華新聞事業中最厚重的一筆。

---

52 參見網路資源 http://biographien.tsingtau.org/fink-carl-1861-1943-journalist/ 據筆者所查證的報刊原件，《德文新報》編輯部在一戰期間發行的《華德日報》德文名應為 Deutsche Zeitung für China，此處刊名「in」應為「für」之誤。

53 Ostasiatische Rundschau. Mrz, 1940, 3: 67.

54 根據一八九九年初的《德文新報》報頭信息顯示，一八九九年開始，芬克在該報任職發行人，至二月中旬開始接任主編一職。

### （三）關於第一任主編馮・貢德拉赫（J. F. von Gundlach）

從前述那瓦勒在華經歷的推算來看，一個疑點始終存在著，那就是，在那瓦勒主編《德文新報》之前，即一八八六年至一八八九年左右的這段期間，是誰在主編《德文新報》呢？是來自科發藥房的發行人嗎？

因為無法查找到《德文新報》前幾年的原件資料，因而對於第一任主編，僅僅從一九一一年《德文新報》二十五週年紀念之時，主編芬克所撰寫的一篇紀念文章中得知，第一任主編叫做馮・貢德拉赫（J. F. von Gundlach），芬克也曾試圖聯繫這位前主編，但未能成功。關於馮・貢德拉赫在那瓦勒之前主編過《德文新報》這一信息，柏林自由大學漢學家瓦拉文斯的 *German Influence on the Press in China* 一文中也有提及[55]，但除了一個名字之外，沒有更多的相關信息。

## 四 《德文新報》的發展歷程

一八八六年至一九一七年，《德文新報》在華的近三十一年時間，恰恰經歷了近代中國社會的沉浮變遷。在這三十餘年中，這份生長在中國、面向德僑的報刊經歷了怎樣的發展變化？它的編輯、發行位址在哪裏？誰是它的讀者？各位主編都帶給這份報刊怎樣的面貌？根據前述《德文新報》的創刊情況，主編更替以及社會環境變化等因素，可以將該報在華的近三十一年歷史分為四個階段：

55 該文章係瓦拉文斯在一九九六年八月第六十二屆國際圖書館協會聯合會（International Federation of Library Associations）大會上的會議論文。http://www.ifla.org/IV/ifla62/62walh.htm

## (一) 一八八六至一八八九年

關於《德文新報》最初階段的情況，只能從最後一任主編芬克的文字中獲知一二。一九一一年《德文新報》進入第二十五年，主編芬克撰寫了二十五週年紀念文章刊載於當年第一期的頭條位置，對這份刊物的過往做了回顧。芬克在一八九九年接手主編《德文新報》時，已經是該刊出版發行的第十三個年頭，對於過去，芬克曾在一九一〇年時希望找到前兩任主編寫成回憶錄並進行刊載，但遺憾的是，那瓦勒已於當年辭世，而另一位主編馮・貢德拉赫已無從聯繫。[56]

根據芬克的描述，《德文新報》的第一期是在一八八六年十月一日發行的，這首先印證了本文前面的考證。芬克寫道：「那時候，按照編者馮・貢德拉赫（J. F. von Gundlach）的打算，是出版一份日報。[57]但是，因為沒有找到必要的資金支持，這份刊物只能艱難度

56 Der Ostasiatische Lloyd. 6. Januar 1911, S.12.

57 關於《德文新報》最初是否是以日刊發行這一問題，目前不一的意見。主編芬克在《德文新報》二十五週年紀念文章中的陳述原文為：„Die ersteNummer des Blattesist am 1sten Oktober 1886 erschienen. Damals lag es in der Absicht des Herausgebers J. F. von Gundlach, eine deutsche Tageszeitung zuschaffen. Das Unternehmenfandaber die Unterstützungnicht, die notwendig gewesen wäre, es über Wasser zuhalten. Dass der" Ostasiatische Lloyd" auch, nachdemer in eine Wochenschrift verwandelt worden war, noch mit vielen Schwierigkeiten zu kmpfen gehabt hat, dessen werden dielteren Ostasiatensich noch lebhaft erinnern." 對於此段文字，筆者在尋求了諸多意見之後，依然存在有歧義的理解：第一，可以解釋為，按照主編貢德拉赫的想法，是要做成一張日報，但由於沒有必要的資金支持，只能改以周刊出版；第二，可以理解為，按照主編貢德拉赫的想法，最初是做成了一份日刊出版，但由於資金問題，只能改以周刊出版。在不能觸及《德文新報》辦報之初的原始報刊資料的情況下，單從這段文字的字面意思理解，的確無法判定孰是孰非。筆者在另一份相關研究中獲得了這樣的信息：《德文新報》在上海每日發行。（原文為"esist der in Schanghaitglich erscheinende „Ostasiatische Lloyd"." Wilhelm Joest. Die Aussereuropische deutsche Presse: nebst einem Verzeichnis smtlicher ausserhalb Europas erscheinenden deutschen Zeitungen und Zeitschrift. Kln, M. DuMont Schauberg'sehen Buchhandlung, 1888: 16-

日，勉強維持。後來，《德文新報》改成周刊出版，也還是遭遇了很多困難，早先來到東亞的德國人應該還都清楚地記得這些。在那個時候，可能大多數在遠東的德國人都不認為他們非常需要這份自始至終以『遠東地區德國人利益之音』為副標題的報刊。這份報刊一再易主。雖然這份刊物的工作者們一直都在努力地工作著，但總是挫折不斷。直到最近幾年，《德文新報》終遇坦途，德僑們漸漸認同了這份刊物的價值所在，讀者漸漸增多起來。……」[58]

筆者在前文中已經轉述了《上海新聞志》等資料關於最初一段時期《德文新報》的相關記錄。與此同時，另有《舊上海史料彙編》在名為〈上海德文報刊小史〉的篇章中做了如下記載：「德文新報原來是一張每晨出版的單行報刊，但沒有幾久，就變做了晋源西報（Shanghai Courier）裏的一欄，而不單獨刊行了。……一八八九年（清光緒十五年），晋源西報主人英國人才克爾（J. G. Thirkell）逝世，該報即歸併於文匯報（Shanghai Mercury）。德文新報此時乃重起爐灶，又復單獨出版，不過是每周出版一次。[59]主編為德人芬克（C. Fink），這位先生是一位理想的新聞人才，故德文新報在當時各種客報之中，是甚占勢力的。」[60]這篇〈上海德文報刊小史〉的文章所述

17.）除此之外，英文《字林西報》在一八八六年十月二日報導了《德文新報》於前一日創刊的消息後，緊接著在同月四日第三版轉載了《德文新報》中的一條最新消息。North China Daily News, 1886-10-4 (327). 由此可以推測，創刊之初的《德文新報》的確是以日刊發行的。

58 Der Ostasiatische Lloyd. 6. Januar 1911, S. 1.

59 此處有兩個問題需要說明：第一，Thirkell 病逝的信息可以對照一八八九年英文《字林西報》其遺孀的廣告說明；第二，《十九世紀的德國與中國》一書中，在〈外交副大臣柏爾亥穆伯爵給上海佛爾克總領事的訓令（1888年）〉（1888年9月3日）中提到《德文新報》領導更迭。（施丟克爾：《十九世紀的德國與中國》〔北京市：三聯書店，1963年〕，頁342）這就使《德文新報》一八九九年重起爐灶的說法更為可信。

60 上海通社：《舊上海史料彙編》（北京市：北京圖書館出版社，1998年），頁318。此

的信息均未注明出處，因此無以查證。芬克在一九一一年為《德文新報》創刊二十五週年紀念寫的這篇文章，無論在時間還是空間上，都是距離歷史事實最近的，因而應當是可信的。

綜合以上各類事實，可以判定，關於《德文新報》初為日刊，後改為周刊的說法是正確的，只是以日刊發行的持續時間尚不能確定。[61]關於附在《晉源西報》中發行一事，只能從後來的主編與《晉源西報》的關係推測，這是可能存在的；在時間方面，芬克所寫的二十五週年紀念文章中則未提及此事。作為主編，芬克自己對於《德文新報》最初階段的情況也並不十分瞭解，因為他在這篇二十五週年紀念文章中提到，希望找尋那些瞭解《德文新報》最初十年的出版情況的人寫出文章進行發表。[62]至於創刊號，芬克在文章中說，就當時知道的情況來看，也只有八、九個旅居在上海的德國人見過。[63]

據此可以推測，《德文新報》在出版後的前幾年的確境況不佳，影響不大。後來被轉手和附在其它刊物中也是非常可能的事實。但這份刊物真的如許多新聞通史中介紹的那樣自始至終「不發生效力」[64]，還是如〈上海德文報刊小史〉的引文中所言「德文新報在當時各種客

---

段引文中提及一八八九年《德文新報》獨立出刊後主編為芬克顯然有錯誤，與本文前述相關考證不符。

61 另有著述中也提及此事，但亦未有出處：「…《德文新報》(Der Ostasiatische Llyd)，該報開始為日報，二年後改為周刊，…」(李明水：《世界新聞傳播發展史——分析、比較與評判》〔臺北市：大華晚報發行，1988年〕，頁587) 關於《德文新報》最初以日報發行究竟持續了多久，暫時沒有確切的資料可以查證，該著此處二年的說法，沒有注明出處，亦無處可考。其中，「Llyd」應為「Lloyd」之誤。——筆者注。

62 Der Ostasiatische Lloyd. 6. Januar 1911, S.2.

63 Der Ostasiatische Lloyd. 6. Januar 1911, S.2.

64 王光祈：《王光祈旅德存稿》，收入《民國叢書》(上海市：中華書局，1936年上海書店影印本)，第五編－75，頁266。

報之中，是甚占勢力的」？[65]只有用《德文新報》後面二十餘年的發展事實來論證。

## （二）一八八九至一八九八年

根據前文的推算，一八八九年《德文新報》重新獨立發刊，每周出版，那瓦勒任職主編。按照筆者能查閱到的報刊原件來看，一八九六年至一八九八年是那瓦勒主編《德文新報》的最後三年，刊物整體呈現穩定的狀況，因此，可以對這一時期的《德文新報》進行分析，從而瞭解那瓦勒主編《德文新報》時期的相關情況。

與同時期的其它在華外文報刊相比，《德文新報》報頭部分最大的特點就是信息量大。那瓦勒主持編輯發行後期，即一八九六年至一八九八年的《德文新報》是筆者能見到的最早的該報原件。報頭上部以德文和中文分別書寫報名：「Der Ostasiatische Lloyd 德文新報」，下方德意志帝國鷹徽醒目呈現，徽標左右兩側框起報刊相關信息兩組。以一八九七年四月十六日第十一年二十八期報頭為例，左側注明本地發行信息：「東亞地區唯一的德文報刊《德文新報》於上海每周發行一期。東亞地區訂閱每季度三元（不含郵資），郵資二十五分。零售發行地址為九江路二號，每份三十五分，三份一元。出版發行人及責任編輯為那瓦勒（B. R. A. Navarra）。」[66]右側則為德國國內讀者說明訂閱信息：「德國國內讀者欲取得樣刊及訂閱費用等其它信息，請聯繫以下兩處：HofBuchdrucker Sr. Maj. Des Kaisers, Ritterstrasse 50, Berlin S. W. 或 London Office: 9, Hills Place, Oxford Street. 該處為德國地區廣告獨家代理。」[67]報頭信息的細節會隨著刊物的發展不定期變

65 上海通社：《舊上海史料彙編》（北京市：北京圖書館出版社，1998年），頁318。
66 Der Ostasiatische Lloyd. 16. April 1897, S.891.
67 Der Ostasiatische Lloyd. 16. April 1897, S.891.

化，而這樣的報頭格式一直延續到一九一七年該報停刊。由報頭信息可以看出，這一時期的《德文新報》已固定為周刊發行，這與本文前述相關資料中記錄的《德文新報》脫離《晉源西報》後獨立發行，每周出刊的陳述相一致。

就《德文新報》的具體情況而言，從傳者和受眾的因素來看，該刊在其發展的第二個階段呈現了這樣的狀態：

首先，在傳者方面，《德文新報》在這一時期由那瓦勒負責主編，在編輯出版地上海通過訂閱及零售的方式發行，零售設有專門地點，即九江路二號。從彼時德國報業傳統的角度來看，《德文新報》在報刊發行上已經打破了德國國內靠訂閱發行報刊的傳統做法。另外，《德文新報》零售地點所在的九江路東段是租界時代外資銀行和洋行集中地，被稱為「中國的華爾街」，一份商業報刊處於十里洋場中這樣的位置，無形中展現著出其發行人的專業素質，也隱隱透露出該報背後的支持力量——德國在華貿易的發展狀況。

《德文新報》一般為每周五出版，遇到中國春節及耶誕節假期，報刊出版日期會作出相應調整。[68]

編輯部的這一做法在後來漸漸成了慣例。並沒有充分依據說明在華德僑也會慶祝中國新年，因而可以推斷出另一種可能性：《德文新

68 一八九七年一月二十九日第十一年十八期刊登啟事因中國春節臨近，下一期《德文新報》將延後出刊，出版時間為二月十一日。Der Ostasiatische Lloyd. 29. Januar 1897: S.583-586. 後來每逢中國春節，編輯部都會刊載類似啟事。

一八九八年一月二十一日第十二年十七期也是同類啟事，因中國春節臨近，下一期《德文新報》將於二月三日出刊。Der Ostasiatische Lloyd. 21. Januar 1898, S.324.

一八九八年十二月十九日第十三年十二期，因聖誕節假日臨近，下一期《德文新報》將調整至十二月二十四日出刊。Der Ostasiatische Lloyd. 19. Dezember 1898, S.221. 一八九八年十二月二十四日第十三年十三期，因聖誕節假日臨近，下一期《德文新報》將調整至十二月三十一日出刊。Der Ostasiatische Lloyd. 24. Dezember 1898，S.241.

報》的出版發行工作中是有中國人參與的。一九○○年春節前刊載的編輯部調整出刊時間的啟事給出了答案：中國農曆新年臨近，本報排字員及印刷工人們將休假，因而下一期的出刊時間作出了相應調整。[69]

在一八九八年中國農曆春節過後，編輯部刊出通告：因為從上海返回德國的郵船出發時間的改變，《德文新報》也將改在每周一下午出版。[70]當這份面向遠東地區德國僑民的報刊因為上海與德國之間的往返郵船時刻表的改變而調整出刊時間時，我們就不難相信，這份報刊對於德國本土受眾的重視程度。若反向地推測，也正是本土受眾的需求決定了當客觀條件出現變化時，出刊時間便會相應調整。

其次，《德文新報》受眾的信息也在發行信息中被揭示出來：在上海只設立一處零售點，其餘均靠訂閱發行，這就是說，《德文新報》在發行方面依然遵循了十九世紀末德國報業的傳統，以訂閱為主，擁有固定的受眾群體，每季度為最小訂閱時間單位，這就保證了該報發行量的相對穩定性。雖然這一時期也設有零售點，但僅有一處，這在提升報刊發行量上並不能起到特別明顯的作用。

在受眾分佈方面，由報頭所提供的訂閱信息，並結合該報以德文出版、以為遠東地區德國人利益服務為宗旨等因素，可知，其主要受眾群體為分佈在遠東地區的德國僑民。另外，報頭訂閱信息中特別說明德國國內讀者對於該刊的索取方式，不僅表明該報的受眾遠及德國本土，更反映出這份德文刊物與本國聯繫之密切性。

---

69 Der Ostasiatische Lloyd. 2. Februar 1900, S.75.

70 一八九八年二月七日和十四日（第十二年十八、十九期）出版的《德文新報》中連續刊載了此通告。Der Ostasiatische Lloyd. 7. Februar 1898, S.345. Der Ostasiatische Lloyd. 14. Februar 1898, S.368.

## （三）一八九九至一九一三年

一八九九年初，那瓦勒離開中國，報刊從業經歷豐富的芬克任職《德文新報》主編之後，逐步對該報進行了適當調整與改版，編輯部文章、新聞報導、言論、商業信息及廣告等幾部分內容劃分更加清晰，報刊形式趨於穩定。在英美報刊專業化趨勢越來越明顯的十九世紀末二十世紀初，《德文新報》所體現出的變化也能夠側面地說明德國報刊當時的特點：順應世界報業發展潮流，報刊編輯方面更加專業，但並不失本國的報業特色。

從編輯部刊發的公告以及後來的報刊徵訂啟事中可以得知，事實上，那瓦勒離開之後，《德文新報》進行了重組、改革。作為新的出版發行人，芬克的名字在一八九九年一月九日第十三年十五期《德文新報》報頭信息中首次出現，原主編那瓦勒掛職責任編輯[71]，同期正文部分頭版刊出公告：即日起，芬克接任《德文新報》主編及發行等職責。[72]很顯然，這一期的《德文新報》正在揭開改革的序幕。一八九九年二月四日，《德文新報》第十三年十九期正式公告：一八九九年一月一日，《德文新報》上海總部執行編輯、發行及廣告業務的接管、委任事宜：柏林總代理處負責人為 G. Schweitzer 和 E. Busch[73]，德國地區廣告部由 J. Neider 先生負責，Rudolf Mosse, Haasenstein & Vogler, Adolf Hausmann Berlin 廣告部及 Carl Caesar-Berlin 也接受委任。[74]自此之後，《德文新報》以全新的面貌展現於讀者面前。

---

71 根據一八九九年一月和二月《德文新報》的報頭信息顯示，那瓦勒的名字自一八九九年二月十八日第十三年二十期起不再出現。

72 Der Ostasiatische Lloyd. 9. Januar 1899, S. 281.

73 這兩位元柏林總代理處負責人的名字自一八九九年三月二十五日第十三年二十五期起在報頭信息中刊出。

74 Der Ostasiatische Lloyd. 4. Februar 1899, S. 343.

對於從一八九九年開始的變化，芬克一直是頗為自豪的。首先，芬克對刊物記年做了調整。在此之前，《德文新報》自一八八六年十月一日創刊時開始記年，每年十月為新一年的開始，這在每期的報頭處都有標明。[75]芬克任職主編的第一年，便將《德文新報》的記年與一般西曆紀年統一了起來，即一八九九年的第十三年記年一直持續至年底結束，一九〇〇年以第十四年開始重新記年。[76]在一九〇二年及一九〇三年年末的編輯部徵訂啟事中，均提到一八九九年《德文新報》的改革一事。而這種刊登在歲末頭版上的帶有年終總結性質的敬告訂戶啟事中，闡述了自一八九九年改革後三、四年以來《德文新報》的種種變化：報社的記者及工作人員眾多，遍佈東亞各個國家和地區，能在第一時間為讀者提供翔實、準確的獨家報導。在諸多大事件發生的時候，《德文新報》的讀者往往能比東亞地區其它報刊的讀者更早地得到消息。在報導內容的範圍方面，一八九九年之前的《德文新報》較多著墨於中國及其社會發展方面，而忽略了東亞其它國家和地區的情況。隨著報社記者、撰稿人及其它工作人員的隊伍漸漸壯大，無論是關於中國的各個方面情況，還是日本、俄國、朝鮮、暹羅[77]、英屬海峽殖民地[78]、菲律賓、巽他群島即印尼。及南太平洋等其它亞洲地區所發生的新聞，都被納入《德文新報》的報導範圍。二

75 在報頭日期處標明刊物出版年數是德文報刊的傳統，德國許多報刊至今仍保持這一習慣。

76 這一點在芬克為《德文新報》創刊二十五週年撰寫的紀念文章中也被提到。Der Ostasiatische Lloyd. 6. Januar 1911, S. 2.

77 即泰國。

78 英屬海峽殖民地（Straits Settlements）：公元一八二六年，英屬東印度公司將新加坡、麻六甲及檳城三地合併，組成「海峽殖民地」，華人稱之為「三州府」。一八五八年八月二日，英國議會通過印度由英國女皇直接治理的法案，海峽殖民地移交給英政府殖民部直接管轄。一八六七年四月一日海峽殖民地改稱為「皇家殖民地」。

十世紀初無線電通訊業務的發展打破了路透社一家獨大的局面，《德文新報》可以直接獲得來自柏林通訊社的消息報導，而撰寫這些消息的都是德國國內一流的記者。[79]

論及《德文新報》與在彼時新聞業務中起著關鍵作用的無線電報業務[80]，又頗值得玩味。一八九九年六月二十四日第十三年三十八期《德文新報》的一周電訊專欄不再出現路透社供稿字樣，雖然，路透社在當時是首屈一指的新聞通訊社，但德國人的表現又的確是在主動甩開英國人在報業上的影響，他們更願意親手用自己的文字記錄新聞，而不是一味地轉譯英國人的稿件。一八九九年之後的幾年間，《德文新報》曾多次對無線電報業務的相關情況進行詳細報導。[81]很快地，這項業務就被應用於《德文新報》的新聞活動中：一九〇〇年三月三十日第十四年十三期報頭信息中出現了電報通訊位址的信息：「Publicatio, Shanghai」。一九〇一年十一月二十九日第十五年四十八期報頭信息中顯示《德文新報》已擁有兩個電報通訊位址，分別為：編輯部，Publicatio；發行／廣告部，Expeditio。[82]一九〇二年十月三十一日第十六年四十四期，從封面發行信息中可知，彼時來自柏林的無線電新聞報導已經觸及新加坡、香港、上海、青島、芝罘[83]、天津、北京。一九〇四年三月十一日第十八年十期報頭注明：每日青島

79 Der Ostasiatische Lloyd. 5. Dezember 1902, S.985. Der Ostasiatische Lloyd. 11. Dezember 1903, S.929.

80 一八九五年，意大利科學家馬可尼和俄國科學家波波夫分別進行了無線電傳送信號的實驗，都獲得成功；一八九九年，無線電信號跨越英吉利海峽，在英法兩國之間實現傳播；一九〇二年，無線電跨越大西洋實現通訊，由此，無線電業務逐漸被應用於新聞傳播領域。

81 後文對此問題有相關論述。

82 Der Ostasiatische Lloyd. 29. November 1901, S.1011.

83 即今山東煙臺。

獨家電訊消息，由青島 E. Kroebel 公司代辦，到一九〇四年四月二十九日第十八年十七期報頭相同位置上的城市又有增加，除上海、青島之外，北京和天津也已在此列。一九〇四年五月十三日第十八年十九期《德文新報》頭版頭條刊載了關於《德文新報》在華無線電機構的消息，由此可以得知，彼時，除上海《德文新報》報社之外，該報的無線電業務先後在青島、北京和天津建立起來。[84]報導中不無充溢著德國報人的喜悅：「這是一件有益於德國人利益的大好事，重要的新聞消息可以迅速、準確地傳達給讀者，從此打破英國路透社的壟斷。」[85]很顯然，德國人看不慣英國人在新聞報導方面「忽視他國利益，只為本國利益服務」[86]的做法。在報導的最後，《德文新報》編輯部表示會繼續努力，爭取擴大其無線電報業務範圍，並請有興趣於此項業務的公司與編輯部直接與其聯繫。[87]在隨後的發展中，《德文新報》所涉及的無線電報業務地區越來越廣泛，在中國，延伸至長江沿岸的漢口、重慶[88]；在中國之外，編輯部每日從亞洲各地十餘家報社獲得電訊稿件。[89]縱觀一八九九年至一九一三年間的《德文新報》，其新聞業務更加體現了專業化色彩，這與二十世紀初世界新聞業發展的大趨勢恰好吻合。

---

84 根據該報導，《德文新報》在上海之外其它城市的無線電業務分別由不同公司承擔，分別為：青島，E.Kroebel 公司；北京，F.H.Cornell 公司；天津 E.Lee 公司。Der Ostasiatische Lloyd. 13. Mai 1904, S.807.

85 Der Ostasiatische Lloyd. 13. Mai 1904, S.807.

86 Der Ostasiatische Lloyd. 13. Mai 1904, S.807.

87 Der Ostasiatische Lloyd. 13. Mai 1904, S.807.

88 見一九一三年一月三日第二十七年一期報頭信息。

89 除青島《青島新報》（TsingtauerNeuestenNachrichten）之外，《德文新報》的電訊稿還來自許多其它著名報刊，包括《字林西報》（NorthChina Daily News），《文匯報》（Shanghai Mercury），等等。詳見一九〇九年一月八日第二十三年二期《德文新報》報頭訂閱信息。

先進的信息傳播方式，對受眾而言，最直觀的感受必然體現在新聞的時效性方面。就一份周刊而言，《德文新報》編輯部對於新聞時效性的重視程度絲毫不亞於諸多發行量更大的日刊。編輯部曾多次對每周出刊時間進行調整：一八九九年新年第一期[90]頭版中刊出關於出刊日期的說明：本期之後，《德文新報》改為每周六下午出刊。[91]五天之後，一八九九年一月十四日第十三年十六期出刊，報頭信息中出現明確說明：「德文新報，遠東地區最早的德文報刊（創刊於一八八六年），每周六下午上海發行。」[92]一九〇〇年起，刊物出版日期更改為每周五[93]，到當年三月，讀者在每周六上午便能讀到最新一期的《德文新報》。[94]僅僅只是　調整出刊時間，並不能讓人明白其中原因所在。自一九〇〇年八月二十四日第十四年三十四期開始，「本期編輯部截稿時間為八月二十四日星期五上午十點」的信息出現在每期刊物正文頭版位置[95]，由此可見，《德文新報》的讀者在每周六上午收到最新一期刊物時便可以讀到前一日發生在千里之外的新聞。到一九〇〇年十一月十六日第十四年四十六期發行時，讀者可以從刊物中讀到廣告部截稿時間也被規範設定起來，為每周四中午十二點。[96]到一九一一年時，《德文新報》的讀者每周五晚便可以收到最新一期的報刊，而編輯部的截稿時間依然是每周五上午十點。《德文新報》是重視時

90 即一八九九年一月九日（星期一）出版的第十三年十五期《德文新報》。在此之前的《德文新報》為星期一出刊，始於那瓦勒任職主編時期一八九八年中國農曆春節之後對出刊時間的調整，本文前述已經說明。

91 Der Ostasiatische Lloyd. 9. Januar 1899, S.281.

92 Der Ostasiatische Lloyd. 14. Januar 1899, S.297.

93 自一九〇〇年起，《德文新報》每期出版日期所對應的均為星期五，而報頭信息所顯示的發行日仍然為星期六。

94 一九〇〇年三月三十日第十四年十三期報頭信息顯示發行時間為每周六上午。

95 Der Ostasiatische Lloyd. 24. August 1900, S.649.

96 Der Ostasiatische Lloyd. 16. November 1900, S.933.

效性的，這是進入二十世紀後新聞業競爭的關鍵環節。一九〇〇年第四期商業副刊沒有及時出刊，對此，編輯部在隨後一期的頭版位置做瞭解釋：上周英文的商業副刊未能及時出版，不是編輯部本意。郵件日的調整導致商業副刊未能如期投遞，懇請讀者諒解。[97]

一八九九年之後的《德文新報》有一個始終未遠離的主題，就是變化。除了上述的主編更換，柏林辦事處人員更新，記者、撰稿人隊伍擴大之外，報頭信息中又透露了更多的變化。隨著報刊改革而發生變化的還有報社位址。一八九九年初，《德文新報》社址變為九江路六號，德國總代理處的位址更改為柏林 S · W · 林頓大街（Lindenstrasse）四十七號。[98]在此之後，《德文新報》編輯部、發行部曾多次易址，這些在報頭信息中均有呈現：一九〇〇年一月十九日第十四年三期所刊載的編輯部和發行部（廣告部）地址更改為南京路五百七十一至五百七十二號[99]；一九〇一年三月十五日第十五年十一期報頭信息注明發行部（廣告部）遷至南京路五百七十一至五百七十三號，編輯部在九江路六號」。[100]由此可推斷，九江路六號依然是《德文新報》的編輯部，彼時的《德文新報》應當是擴大了編輯、發行的地點。[101]一九〇三年七月三日第十七年二十七期封面信息：地址

97 Der Ostasiatische Lloyd. 2. Februar 1900, S.75.

98 根據一八九九年七月二十二日第十三年四十二期報頭信息顯示，該處為 BERLINER AKTIONAERS 出版社。Der Ostasiatische Lloyd. 22. Juli 1899, S.731.

99 Der Ostasiatische Lloyd. 19. Januar1900 ,S.37.

100 Der Ostasiatische Lloyd. 15. Mrz 1901, S.217.

101 關於此判斷，可以在《德文新報》中找到確鑿的證據。在此之前的一期，即同年三月八日第十五年十期的《德文新報》中，主編芬克專門添設夾頁，刊載啟事作出說明：「《德文新報》在過去一段時間裏迅速發展，因此主編決定，將報紙編輯部和商業部完全分開。即日起，所有報刊編輯類的信件請發送到上海市九江路六號《德文新報》編輯部，相應地，有關刊物預訂、廣告業務以及刊物零售等信件請寄送至上海市南京路五百七十一—五百七十三號《德文新報》發行部。」Der Ostasiatische Lloyd. 8. Mrz 1901，夾頁。

改為南京路二十四 A，並有豎排中文繁體字分列左右兩側：「德文新報」，「英大馬路」。漢字的出現使得這份在華德文報刊中多了幾分中國的味道。

報刊發行和讀者訂閱是《德文新報》三十一年發展歷程中的重要環節。究竟是怎樣的人在閱讀這份刊物？其受眾信息就隱藏在發行及訂閱信息之中。一八九九年二月二十五日第十三年二十一期頭版徵訂啟事做了這樣的說明：訂閱《德文新報》，可以通過所有的德國郵政部門，在奧匈帝國、瑞士、俄國、瑞典、挪威，以及所有萬國郵政聯盟成員國家，只要參與簽訂報刊協定的，均可實現訂閱。特別指出的是，設在上海、芝罘、天津、青島的德國郵局也可以訂閱本報。[102]隨後一期（一八九九年三月四日第十三年二十二期）的報頭訂閱信息中增加了郵發代號：No.5844。這樣的一串數字暗示著這份在上海出版的德文周刊所面對的已經不再是小範圍內的讀者，德國在各地所設立的郵政業務和萬國郵政聯盟，這些有利的因素說明編輯部將他們的文字傳向了更遠的地方。無論是鄰國日本、朝鮮、暹羅、菲律賓，還是德國本土及歐洲，甚至遠及北美，《德文新報》幾乎到達了德國僑民所在的每一處地方。[103]

---

102 Der Ostasiatische Lloyd. 25. Februar 1899: S.377.

103 一九〇〇年八月二十四日第十四年三十四期報頭訂閱信息顯示：萬國郵聯國家（Weltpostvereiänslndern）均可訂閱《德文新報》，同時，發行部還在美國紐約設立訂閱代理處。

一九〇一年十一月二十二日第十五年四十七期及其後一段時間的《德文新報》封面，每期均刊載有中國各地區、朝鮮、日本、英屬海峽殖民地、暹羅、菲律賓及歐洲地區的訂閱信息。

一九〇九年一月八日第二十三年二期及其後一段時間的《德文新報》封面，每期均刊載有如下訂閱信息：上海訂戶可通過南京路二十五號德文新報編輯部訂閱，也可通過南京路三十八號壁恒圖書公司（Max Nössler & Co.）訂閱。中國各主要城市通過當地德國郵局，香港、日本橫濱、菲律賓馬尼拉都可訂閱。

在刊物遞送方面，發行部重視及時、準確的投遞，如有變動或特殊情況發生，則會及時在刊物的醒目位置以通告的方式與訂戶溝通。前述已經介紹過的《膠州消息》、《商業增刊》等，與《德文新報》不在同一時間發行，屬於不定期副刊。「編輯部請訂戶告知是否需要投遞不定期副刊。每周六下午接收刊物投送的上海訂戶，請與編輯部聯繫確認您的投送地址。」[104]諸如此類編輯部告示幾乎每期都會出現在刊物中。

《德文新報》的讀者對於這份刊物的需求究竟是怎樣一種狀況？有著述認為《德文新報》「主要發行對象為德國在華僑民，流通範圍不大。」[105]無疑，《德文新報》是一份面向德語受眾的刊物，這限定了其受眾面和發行量，這樣看來，訂閱是最穩定的發行方式，零售實在不是明智的做法。但是，《德文新報》卻並沒有拒絕以零售的方式來發行。在《德文新報》的訂閱信息中能夠看到這樣的內容：「埃及塞得港（Port Said），葉門亞丁（Aden），新加坡和香港，遊客乘船可在以上港口購買到最新的《德文新報》。」[106]當看到覆蓋面如此廣泛的發行信息時，對於這份刊物的實力和影響力就應當慎重作出判斷了。一九〇九年四月二十三日第二十三年十七期《上海消息》。[107]頭條以《關於對中國輸入機械產品》為題，敘述了關於某幾期《德文新報》迅速售罄的消息，因為這幾期《德文新報》上刊載了德商在華北、華中地區機械產品銷售相關內容的文章，對於相關期號《德文新報》的零售情況，編輯部稱之為「令人吃驚」的。因此，編輯部將相

104 Der Ostasiatische Lloyd. 14. Januar 1899, S.297.

105 方漢奇：《中國新聞事業通史》（北京市：中國人民大學出版社，1992年），卷1，頁316。

106 Der Ostasiatische Lloyd. 11. April 1902, 封面訂閱信息。

107 一九〇七年開始，《德文新報》增設《上海消息》（Shanghaier Nachrichten），下文將作介紹。

關文章編輯成冊出版。中國地區售價一元，德國地區售價二馬克，現金支付或到郵局匯款。[108]這條頗有廣告意味的短消息以無心插柳的方式，將「爭相購買」的情景與《德文新報》的零售情況聯繫了起來，雖是頗為偶然的情況，但至少再次證明了這份刊物擁有數目不凡的受眾群和相當的影響力。

## （四）一九一四至一九一七年

一九一四年之後，歐洲大戰打響，遠在中國的《德文新報》也處於動盪不安之中，報頭信息中顯示編輯部位址在這一時期頻繁更換：一九一五年一月八日第二十九年一期報頭信息表明編輯部位址改為南京路三十三號[109]；一九一七年一月五日第三十一年一期報頭信息注明編輯部遷至南京路三十三號 B & C；一九一七年一月十二日第三十一年二期中顯示編輯部再次遷至南京路三十三號 B & C 二樓。不難看出，《德文新報》的編輯部規模在不斷縮小。但是，此時此刻，這樣的變化已顯得微不足道。最重要的在於，大戰時期的《德文新報》已經完全改變了模樣：正文版面數不斷增長，《商業副刊》和《上海消息》副刊由鼎盛時期的十餘版縮減至二版，最後幾近消失。[110]曾經佔據幾乎半壁江山的信息和廣告，最終難覓其蹤。至於曾經每期必現的編輯部通知讀者的各類訂閱、投遞公告等與該報的發展變化密切相關的內容，則再也看不見了。

108 Shanghaier Nachrichten. Der Ostasiatische Lloyd. 23. April 1909, S.121.

109 Der Ostasiatische Lloyd. 8. Januar 1915, S. 1.

110 《上海消息》在一九一六年停止出刊，《商業增刊》一直保留，每期約六版。

# 第四節　關於《德文新報》停刊

戰爭最終導致《德文新報》走向盡頭。

一九一七年八月十四日，中國對德國正式宣戰。根據上海公共租界工部局董事會的會議錄的記載來看，自宣戰之日起，中國政府便對德國在公共租界內的報刊實施了封禁。[111]一九一七年八月十六日《申報》轉載《字林西報》報導，交涉公署宣佈，「封閉德人報館」。[112]一九一七年八月十七日《申報》刊發外交部關於「處置敵國僑民條規」，第八條規定：「凡敵國人民所出書報，無論何國文字，該館地方官縣認為必要時得禁止發行。」[113]引文中標點符號為筆者所加。兩天之後，在《申報》的版面上這樣記錄：「南京路 B 字三十三號之德文新報及德文電社前晚七時[114]均由工部局派捕會同交涉公署委員會封閉」。[115]因此，《德文新報》的歷史在一九一七年八月十七日畫上了句號，這份德文刊物出版至第三十一年三十三期停刊，沒有任何告別致辭。

---

111 上海市檔案館編：《工部局董事會會議錄（20）》（上海市：上海古籍出版社，2001年），頁113-114, 634-635。

112 《申報》，一九一七年八月十六日，第十版。《申報》影印本（上海市：上海書店，1982年），〔147〕800。

113 《申報》，一九一七年八月十七日，第十版。《申報》影印本（上海市：上海書店，1982年），〔147〕818。

114 即一九一七年八月十七日晚七時。

115 〈報館電社之封閉〉，《申報》，一九一七年八月十九日，第十版。《申報》影印本（上海市：上海書店，1982年），〔147〕852。另有研究記錄為：一九一七年八月十七日「下午七時，江蘇特派交涉公署委員會同公共租界工部局所派巡捕將德國人在上海出版的德文 Der Ostasiatische Lloyd（《德文新報》）、中文《協和報》及英文《戰報》全部查封。」方漢奇：《中國新聞事業編年史》（福州市：福建人民出版社，2000年），上冊，頁834。

它的出生是傳奇，它的殞滅是無奈。更令人感慨的是，它的最初與末了已經完全判若兩報。它的內心究竟經歷了怎樣的洗練和掙扎？

# 第四章
# 《德文新報》版面內容設置

在主編芬克撰寫的《德文新報》二十五週年紀念文章中，我們隱約能讀得到這份德文刊物在華發展的艱難歷程。雖然，前期的原件已經遺失，對本研究而言甚為可惜，但自一八九六年起，重起爐灶的《德文新報》呈現著不可擋的上升趨勢，於諸多在華客報之中閃現著自己獨有的光芒。

近代學者儲玉坤在論述德國報刊時曾經提到：「打開德國的報紙，就覺得與英美報紙完全不相同。大部分的德國報紙多是小報的典型，小巧玲瓏，不像英美報紙的闊大」。[1]確實如此，與近代上海著名的英文大報《字林西報》（North China Daily News）、《大陸報》（The China Press）等對開出版的刊物相比，《德文新報》的版面大小僅僅是這些英美報刊的一半，是典型的德國刊物。在這樣的小版面之內，究竟是怎樣一片世界？

## 第一節　那瓦勒主編時期（1896-1898）

從一八九六年至一八九八年期間的報刊原件中可以分析得出，那瓦勒主持編輯下的《德文新報》在這一時期基本已有了固定的板塊模式。航運信息、廣告和公報（Bekanntmachungen）被安排在刊物第一部分，這也是《德文新報》自始至終保留的重要內容。事實上，這一

1　儲玉坤：《現代新聞學概論》（上海市：世界書局，1948年），頁61。

部分就像是一份獨立的小報，而這種小報的歷史可以追溯至十八世紀，德國報業在這一時期出現的小報（die Intelligenzblätter）是仿傚英國《通報》（Intelligencer）而來。[2]這種小報主要用於刊載公告，審判、招標、拍賣、旅館經營等公告都是其刊載的內容，無論是商業的或私人的公告、信息等，均可以在此刊出。不難理解，廣告在這種小報中的地位舉足輕重。創刊於一七二二年的德國第一份小報，法蘭克福的 *Wöchentliche Frag- und Anzeigungs-Nachrichten*[3]有三分之二的收入是來自廣告。[4]可以說，這種小報就是後來德國報刊廣告專頁的雛形。

那瓦勒主編後期，第一部分的版面數通常為四版左右。隨後為正文部分，將正文與廣告間隔開來的是本期文章目錄（Inhalts-Verzeichniss[5]）。伍爾夫·約納斯·布約爾克（Ulf Jonas Bjork）在描述二十世紀初德國大眾化報刊的時候，提到了 Ullstein 創辦的 *BZ am Mittag* 這份報刊的長處：為了方便閱讀，該報會在頭版位置首先刊載正文內容的目錄。[6]對照十九世紀末《德文新報》的情況，在報刊的

2 Fritz Körner. Das Zeitungswesen in Weimar (1734-1849): Ein Beitrag zur Zeitungsgeschichte. Leipzig: Verlag von Emmanuel Reinike, 1920: 2.

3 刊名大意為「每周新聞及廣告」。Rudolf Stöber. Deutsche Pressegeschichte: Von den Anfängen bis zur Gegenwart. Konstanz: UVK Verlagsgesellschaft mbH, 2005: 78. 原文中報刊名稱作"Wochentliche Frag-und Anzeigungs-Nachrichten"，應為"Wöchentliche"之誤。對於該報名稱，另有說法為"Wöchentlichen Frankfurter Frag-und Anzeigen-Nachrichten"，參閱以下二著述：Christel Hess. Presse und Publizistik in der Kurpfalz in der zweiten Hälfte des 18. Jahrhunderts. Frankfurt a. M./Bern/New York/Paris: Lang, 1987: 8. Margot Lindemann, Kurt Koszyk. Geschichte der deutschen Presse: Deutsche Pressebis 1815.Berlin: Colloquium Verlag, 1986: 250.

4 Rudolf Stöber. Deutsche Pressegeschichte: Von den Anfängenbiszur Gegenwart. Konstanz: UVK Verlagsgesellschaft mbH, 2005: 78.

5 Verzeichniss 為舊有拼寫，今拼寫法為 Verzeichnis，中文釋義即目錄，索引，概要。

6 Ulf Jonas Bjork. Germany: Mass Circulation Newspapers shaped by an Authoritarian Setting. // Edited by Ross F. Collins and E. M. Palmegiano. The Rise of Western Journalism, 18151914. Jefferson: McFarland & Company, Inc., Publishers, 2007: 134.

正文之前添加目錄的做法應該並非 *BZ am Mittag* 的首創。根據相關資料顯示，一八三三年普魯士傳教士郭士立在中國廣州出版《東西洋考每月統記傳》時，每期卷首便設有目錄。[7]

事實上，《德文新報》十分注重彰顯辦報宗旨及樹立報刊形象，這份代表了德國報業傳統並體現著德國報業特點的德文在華報刊，總是願意在刊物的顯眼處樹立起「德國」的威信：在正文目錄之後，「德文新報——遠東地區德國人利益之音」的辦報宗旨總是被清晰地標示出來，明確地提醒著閱讀者：這不僅僅是一份在中國出版的德文報刊，更象徵著一種不同於英美及其它國家的報業制度在中國生存下來。在隨後的位置上，編輯部會注明對於轉載本刊文字的要求：「轉載本報內容，請注明出處。」[8]的確，《德文新報》不僅代表著德國性，也展現著專業性。

路透社供稿的一周電訊（Telegramme der Woche）通常被安排在正文的首位，由這一事實可見，那瓦勒主編時期的《德文新報》對於消息類新聞頗為重視。在十八～十九世紀近代報業起步的時候，由於通訊稿件的高昂價格，在德國，只有少數大報負擔得起這筆費用，其它報刊則只能通過與大報尋求合作的方式獲取最新消息。[9]而到十九世紀末的時候，通訊稿件的密度已經成為衡量報刊品質的重要標準。本文第二章在敘述德國報業情況時已經提到，十九世紀後期到二十世

7 白潤生：《中國新聞傳播史新編》（鄭州市：鄭州大學出版社，2008年），頁40。另外，根據筆者查閱資料的情況，在十九世紀到二十世紀前期這段時間裏，在報刊中添加目錄的做法是較為普遍的，無論是在華外國人所辦的中西文報刊，還是中國人自辦辦刊，每期正文前列出文章目錄的例子不勝枚舉。

8 即正文前所注明的內容：Die Wiedergabe von Artikelnausdem „Ostasiatischen Lloyd“ ist gestattet, wenn die Bemerkunghinzugefügtwird：Abdruck (bezw. Uebersetzng) ausdem „Ostasiatischen Lloyd.“

9 Rudolf Stöber. Deutsche Pressegeschichte: Von den Anfängenbiszur Gegenwart. Konstanz: UVK Verlagsgesellschaft mbH, 2005: 131.

紀初的德國新聞界，由於政府鼓勵採用官方消息和各報習慣於轉發其它報刊消息的現實，負責新聞採集的記者在當時的德國新聞業中並不受重視。不難得出結論，恰好是在《德文新報》發行的那段時期，德國報業與英美報業之間的距離的確被拉開了。由此看來，《德文新報》採用路透社供稿，並將其放在正文的首要位置，這就透露出一個頗為有趣的事實：那瓦勒主編時期的《德文新報》似乎正處於糾結之中：一邊受到英美報業的影響而無法抵擋，另一邊又囿於德國報業的傳統難以前進。

緊隨一周電訊其後的是分量最重的編輯部文章（Haupt-Artikel）。對此，編輯部一般選取影響力較大的事件進行述評，這也是最能體現該報觀點及傾向性的部分。除此之外，主編那瓦勒也經常將自己撰寫的有關介紹中國政治制度等重要內容的篇章置於此處[10]，足見這位主編對腳下這片土地的重視。歷史學家利卡特（Requate）說，十九世紀末德國新聞業的特徵就是「leading article」，這樣的文章散發著知識，而在英美新聞業中佔據中心位置的記者，在德國新聞業中卻只是個邊緣人物。[11]歷史學家對於德國報業的這個說法與《德文新報》關係頗為密切，因為「leading article」正是《德文新報》中的編輯部文章（Haupt-Artikel）。

除此之外，《德文新報》的其它內容多以固定專欄的形式分類編輯排版，閱讀時一目了然，對於信息檢索流覽頗有益處。以下分別作以介紹：

---

10 例如，一八九七年七月十六日第十一年四十七期《德文新報》刊發編輯部文章《北京中央政府》（Die Centralregierungzu Peking.），後被收錄入那瓦勒著述《中國漢子》，詳見該書第四十六頁。

11 Ulf Jonas Bjork. Germany: Mass-Circulation Newspapers shaped by an Authoritarian Setting. // Edited by Ross F. Collins and E. M. Palmegiano. The Rise of Western Journalism, 18151914. Jefferson: McFarland & Company, Inc., Publishers, 2007: 129.

一、英文刊物概覽（Revue der englischenPresse）：編輯部通常會對在華主要英文報刊近一周內的各方面消息報導進行編譯刊出，其中以《文匯報》（Shanghai Mercury）和《字林西報》（North-China Daily News）為主。如果說，《字林西報》作為近代中國首屈一指的英文報刊，被其它報刊首選為摘錄轉載的對象不足為奇，那麼，《德文新報》對於《文匯報》所刊載內容的編譯則頗值得玩味，從這一點上來看，編著 *A Research Guide to China-Coast Newspapers, 1822-1911*（中譯名《晚清西文報刊導要》）的作者在論述《德文新報》時所言「《德文新報》脫離《晉源西報》獨立發行後，與文匯報業集團（Mercury group）保持著長期的聯繫，至少在業務方面的確如此。」[12]這一說法應當是有據可查的。

二、人物消息（Personal Nachrichten）：《德文新報》雖然出身為商業周刊，但毫無疑問，這份刊物是關心政治的。從俾斯麥到李鴻章，無論是高高在上的威廉二世和光緒皇帝，還是在政治、經濟、教會活動中起到作用的體面人物，各國政要的行蹤都被用一兩句話彙聚在一專欄中。

三、東亞評論（Rundschau in Ostasien）：《德文新報》對於報導內容的分類細化程度在這一專欄裏得到了更好的體現，這是《德文新報》中唯一擁有二級分類的欄目。作為一份立足於遠東地區、服務於遠東德國僑民的周刊，編輯部以國家為基本單位，將中國、日本、朝鮮及西伯利亞等地的消息分別陳述出來，方便讀者各取所需，有針對性地尋找自己關心的消息，把握相關動態與趨勢。客觀地說，這也使得判斷編輯部對於不同報導對象的態度及傾向變得更容易。

---

12 Frank H. H. King (editor) and Prescott Clarke. A Research Guide to China-Coast Newspapers, 1822-1911. Cambridge: East Asian Research Center Harvard University, 1965: 97.

四、綜合新聞（VermischteArtikel）：《德文新報》針對自己的受眾對象——遠東地區的德國僑民，以此專門版塊報導東亞各國、中國各地的情況，報導性質以介紹為主，內容涉及上述地區的政治、經濟、文化等各個方面，對於生活在遠東地區的德國僑民來說，這一專欄無疑是他們瞭解這片陌生土地的有力幫助。甚至遠及德國本土的讀者也可以藉此知道遠在歐亞大陸另一邊是一片怎樣的天地。誰能否認，後來決定啟程東行來到中國的德國人之中，有許多正是受到《德文新報》報導內容的吸引而踏上征程的呢。

五、文學專欄（Literarisches）：與中國一樣，德國也是熱愛文學、鍾情詩歌的國度，那瓦勒主編時期的《德文新報》，總是少不了詩歌的影子。[13]而在這一專欄，詩歌是絕對的主角，並且，同樣是在這裏，中國與德國在詩歌和語言之間，實現了美麗的交融。這一專欄中的許多德國現代詩歌出自中國的德語愛好者或通曉德文的文人之手。同時，還有一些作品，字裏行間品讀起來有似曾相識的味道，將目光移向版面底部的注釋中則恍然大悟——乃是中國古代詩詞的譯作。[14]十九世紀後半期英美國家進入以新聞報導為主的大眾化報刊時代，歐洲大陸報業卻依然保持著偏愛文學的傳統，這在那瓦勒主編時期的《德文新報》中體現得十分明顯。

六、專欄小品（Feuilleton）：這是一個沒有獨立為副刊的部分，但卻承擔著文藝副刊的作用。遠東地區各國的民俗、風情，西方人在東方的遊歷故事等，都能在這一專欄中讀到，這其中又以關於中國的內容為最多。那瓦勒曾經是職業記者、編輯，到了中國的土地上，這裏博大多樣的文化傳統，為他連續在《德文新報》專欄裏發表關於中

13 文學專欄在後任主編芬克時期不再出現。

14 例如，一八九六年第四十八期本專欄刊載了隋文帝的詩作，德文翻譯工整且押韻。

國政治體制、文化、民俗等內容的文字作品提供了豐富的素材。作為編輯，他不但為讀者整理最及時的信息，更能親筆向大家介紹中國傳統文化。就此來看，那瓦勒的角色已經不單只是一個報人，而且是跨文化交流的傳播者。本文前述中提及的《中國漢子》一書，並非一氣呵成之作，該著述中的大部分是由那瓦勒主編《德文新報》期間在「小品隨筆（Feuilleton）」專欄中陸續發表的文章集合而成也有部分關於晚清中國政治的文章是刊發在《德文新報》的 HauptnArtikel 中，那瓦勒選取了包括宮廷帝王、官職制度、司法、軍事、家庭生活、社會生活、民俗節日、宗教信仰等各類內容的文章，將一個完整的晚清中國以書面的形式集於一冊。在最後定稿時，那瓦勒對於諸如資料等內容都進行了校正、補充和完善。

需要說明的是，《德文新報》設立專欄小品並非是主編那瓦勒的個人喜好，更不是介紹中國國情的需要，這一專欄的設立，是遵循德國報業傳統的體現。如前文所述，十八世紀三〇年代，與歐洲許多國家一樣，德國的新聞工作者們也在為爭取新聞自由而做著各種努力。經過了與拿破崙帝國的抗爭，德國報業不再僅僅與自已做比較，而是開始接受外面的新事物，對其影響最多的恰恰是曾經的拿破崙帝國，專欄小品（Feuilleton）就是從法國傳到德國的，並很快成為德國報刊中的主角。[15]

七、船舶及航運消息（Schiffs-Nachrichten; Marine-Nachrichten）：在十九世紀，航運是國際貿易及其它許多活動的命脈，因而，及時有效地報導航運信息對於一份報刊而言，至關重要。前文在追溯《德文新報》名字的時候就已經提到，《德文新報》之所以會創刊，就是為

15 Ulf Jonas Bjork. Germany: Mass-Circulation Newspapers shaped by an Authoritarian Setting. // Edited by Ross F. Collins and E. M. Palmegiano. The Rise of Western Journalism, 18151914. Jefferson: McFarland & Company, Inc., Publishers, 2007: 113.

了向遠東地區的德國僑民提供航運和海外貿易信息的。因此，該專欄一直都是《德文新報》的固定內容，雖然，內容多少的不確定性使得這部分的版面空間大小並不固定，甚至有時候依據版面安排的需要，會將該專欄的欄目標題省略，但這絲毫不影響該部分內容在整個刊物中的重要地位。

八、其它新聞（Allgemeines）：除了與德國及遠東德僑緊密相關的內容，《德文新報》在版面允許的情況下，也常常編發一些其它國家的新聞或新鮮事。這一專欄通常被設置在正文的最後一部分，而且並不是每期固定出現。

九、副刊（Beilage/Beiblatt）：那瓦勒主編時期的《德文新報》副刊一般分為副刊一（Erstes Beiblatt zum "stasiatischen Lloyd."）和副刊二（Zweites Beiblatt zum "Ostasiatischen Lloyd."）兩部分，沒有具體的副刊名稱，但每期的內容和版面安排基本一致。副刊一通常為四個版面，商品報告（PIECE GOODS REPORT.）、絲綢貿易報告（SILK CIRCULAR.）以及 Messrs. H. Sylva & Co.每周股市報告（Messrs. H. Sylva & Co.'s Weekly Share-Market-Report.）一般都會是每期固定內容，佔據三個版面，會德豐公司[16]的煤炭及石油資源市場報告（Wheelock & Co.'s Coal and Rerosene Oil Market Report.）和貨運市場報告（Wheelock & Co.'s Freight Market Report.）則與瑞記洋行[17]的

16 會德豐有限公司，一八五七年在上海創立，前身為會德豐馬登股份有限公司、上海隆豐投資有限公司（在一九二〇年創立）和隆豐國際集團有限公司，現以香港為總部。主要業務是貿易、融資及商業服務、物業租賃及管理、物業出售、酒店經營、庫存管理及投資，在一九七〇年前與怡和、和黃、太古，號稱英資四大行。馮邦彥：《香港英資財團：1841-1996》（上海市：東方出版中心，2008年），頁135-136。

17 德商瑞記洋行（Arnhold Karberg & Co.）是一家歷史悠久的德國籍猶太人公司，為中國清末民初最著名的洋行之一。一八五四年，德籍猶太人安諾德兄弟（J. Arnhold & P. Arnhold）和同母異父的卡貝爾格（P. Karberg）在中國上海合資設立了德商瑞記

雙周生產通報（Arnhold, Karberg & Co.'s Fortnightly Produce Circular.）隔周交替出現。副刊二一般設置兩個版面，固定刊載的商業性內容一般為每周絲綢託運清單（List of Silk Shippers.）及後來添加的漢口茶葉託運清單（Shippers of Tea from Hankow），另有一版以上的版面空間刊載文字信息，包括：工部局[18]會議的相關內容（THE MUNICIPAL COUNCIL.），其中大多與德國相關；中國貿易商保險有限公司（CHINA TRADERS' INSURANCE COMPANY, LIMITED.）；上海總商會（THE SHANGHAI GENERAL CHAMBER OF COMMERCE.）等的相關信息。值得注意的是，《德文新報》兩個副刊的內容都是以英文刊出的。

《德文新報》的專欄設置展示了該報對於報導內容分類的特點，這在同時期的其它在華外報中並不多見。另外，這一時期的《德文新報》「見縫插針」的排版特點也非常明顯，許多零碎而無法分類的一

洋行（Arnhold Karberg & Co.）。隨後在天津、漢口設立分行，在長沙、常德、沙市、宜昌、萬縣等地設立支行。主要從事軍火、五金交電及土產進出口貿易。甚至通過控股德商司尼夫萊奇（H. Snefhlage）的祥泰木行（China Import & Export Lumber Co., Ltd.），壟斷了中國的木材進口。瑞記洋行於一八九五年、一九〇三年相繼在上海開辦了瑞記紗廠和瑞鎔機器造船廠（New Engineering & Shipbuilding Works Ltd.）。一九一七年中國對德國宣戰後，瑞記洋行在華資產被英國滙豐銀行代管。馬學新、曹均偉：《上海文化源流辭典》（上海市：上海社會科學院出版社，1992），頁656。

18 一八四七年（道光二十七年）成立的「道路和堤防委員會」（Committee of Roads and Jetties）是公共租界第一個行政管理機構。該委員會由英領事任命的三位正直的英商組成，其任期一直延至一八五四年（咸豐四年）。在那段期間，英領事掌握著租界的最高權力。他批示納稅人大會和委員會的每一個決議案，並且決定任何有關《土地章程》（Land Regulations）的事件。根據一八五四年的《土地章程》，道路和堤防委員會為工部局（Municipal Council）所取代。工部局從此成為公共租界的行政機關。該局的董事由納稅人大會選舉，總董則由董事推選。吳圳義：《清末上海租界社會》（臺北市：文史哲出版社，1978年），頁10。

句話新聞會被安排置於某專欄之後，插空刊登，這又極大地豐富了該刊的新聞量。

另外，《德文新報》還不定期地刊出讀者投書（Briefkasten der Redaction）專欄[19]，讀者就該報的相關報導談論自己的看法，闡述各種不同的觀點。一份成熟的刊物必然重視受眾的意見，這是後來的傳播學研究的重要問題之一，即傳播過程中的重要環節——回饋。

在一八九八年八月一日第十二年四十三期中，報摘類專欄又添加了新的一筆：除了原有英文刊物概覽（Revue der englischen Presse），中文報摘（Revue der chinesischen Presse Schanghai's）專欄出現了。編輯部選取有代表性的中文報刊進行摘譯，將中文報刊的觀點也納入自己的刊載範圍。從近現代報業發展的角度來講，《德文新報》在報摘方面兼收並蓄的做法無疑是順應曆史趨勢發展方向的。十九世紀末二十世紀初的德國報業以政府控制為特點，《德文新報》的做法恰好表明，這份在華德文報刊在一定程度上衝破了德國報業制度的禁錮。然而，《德文新報》並非是一個脫離德國本土報業的特例，相反，從其發行、報導內容等方面來看，編輯部與德國國內聯繫密切，該報是當時德國報業的典型代表。這就表明，彼時，英美報業正在帶領世界報業轉向新的階段，德國報業的進步也正是在跨文化交流的衝突與融合中得以實現的。可以說，《德文新報》正是其中的實踐者之一。

另外，政治事件也會為報刊發展創造機會。一八九七年德國佔領膠州灣，一八九八年三月六日，清政府簽訂〈膠澳租借條約〉，今天的青島地區成為德國在華租借地。[20]一八九八年九月五日（第十二年

19 Der Ostasiatische Lloyd. 22. Januar 1897, S.570.

20 青島地區昔稱膠澳。一八九一年（清光緒十七年）清政府議決在膠澳設防，是為青島建置的開始。翌年，調登州鎮總兵章高元率部移駐膠澳。一八九七年十一月，德國以「巨野教案」為藉口強佔膠澳，並強迫清政府於一八九八年三月六日簽訂〈膠澳租借條約〉。

四十八期），《德文新報》在原有規模的基礎上增刊《膠州消息》（Nachrichten aus Kiautschou）副刊，初期穩定在四版左右。至此，《德文新報》的副刊數量增加為三個。[21]對《德文新報》而言，《膠州消息》的出現不僅僅意味著一個新的副刊的誕生，更重要的在於，德國在華報業有了新的發展。一八九八年十月三十一日第十三年五期《德文新報》刊載通告：德國在其佔領的膠澳租借地設立歐人區的計劃得以落實，《德文新報》就此在青島設立發行部，每期定價為一元。[22]

那瓦勒主編時期的《德文新報》版面編排及專欄設置保持了穩中有升的發展態勢。很明顯的一點是，《德文新報》是與當時的英美報刊有所區別的，這份刊物裏深深地埋藏著德國報業傳統的各種因素。那瓦勒作為一個德國報人，自然會將本國的報業傳統深深地植入這份以自己母語發行的報刊之中，所以，彼時的德國報業制度作為在華外報報業制度的一個分支，在中國獨立存在，這應當成為一個不爭的事實。

## 第二節　芬克主編前期（1899-1913）

作為一名有著豐富從業經驗並一直站在彼時新聞業發展最前沿的職業報人和記者，芬克接任《德文新報》主編後，先是在刊物的版面模式上做出了改革：首先，在《德文新報》原有結構的基礎上，芬克將每期第一部分（即商業廣告及相關信息部分）獨立出來作為廣告和

---

21 根據報刊原件，《膠州消息》副刊編發至一九〇一年四月止，之後不再出現該副刊。當地另外單獨發行新的《膠州報》。根據原件顯示，有關《膠州報》發行的廣告在一九〇一年《德文新報》的廣告部分不定期出現。

22 Der Ostasiatische Lloyd. 31. Oktober 1898, S.343.

通告專版，並單獨設立報頭。[23]可以說，改版後的第一部分完全可以看作一份獨立的小報（die Intelligenzblätter）。其次，第二部分為報刊正文，重新設立報頭，報頭處附有相關徵訂發行信息。目錄部分獨立固定在報頭下方版面的左上角處。[24]從一九〇〇年五月十八日第十四年二十期開始，《德文新報》披上了雜誌的外衣，出現封面和封底，以單彩印刷[25]，

Der Ostasiatische Lloyd

Leonhardi's Tinten

**圖一　一九〇二年九月五日《德文新報》正文頭版**

紙張較厚，外加封二、封三共計四版。封面報頭之下為大幅廣告，其餘三版均為廣告。在諸多外文報刊聚集的上海十里洋場，《德

23 該部分報頭主要內容為中德文報刊名稱、本報宗旨及日期刊號。

24 即今日報刊的頭版頭條位置。

25 封面和封底每期以紅、藍、綠、棕、黑等單色呈現，幾個月後，不再出現彩色，均以黑色印刷。

文新報》的改變正是其融入世界報業發展大趨勢中的表現。十九世紀後半期，德國報刊以哥特式字體排版的老式風貌曾遭到同時期英美國家、甚至歐洲大陸國家同行的批評[26]，即使如此，德國人依然普遍固守傳統。值得注意的是，一九一一年開始，芬克將原本遵循英美報刊習慣的做法，即以普通拉丁字體印刷的《德文新報》報頭信息、發行信息、正文報頭都改為哥特式字體，這不禁令人感歎：德國人懂得前進，但總是不忘保持一些德國的本性。

依據前文所述，芬克主編時期的《德文新報》擁有了更龐大的記者隊伍，這就使得擴大報導範圍成為可能，專欄豐富、版面增多就成為這一進步的直接體現。

一八九九年之後，《德文新報》的正文專欄設置基本繼承了前一階段的風格，並在此基礎上做了調整和更新。獨立的正文部分以清晰明瞭的本期目錄（Inhalts-Verzeichniss）作為開始。[27]編輯部社論（Leitartikel）依然是整份刊物的第一主角，相比那瓦勒時期的編輯部文章（Haupt-Artikel）而言，芬克主編時期的《德文新報》在這一部分著墨更重。

一周電訊（Telegramme der Woche）專欄[28]被保留下來，與前一時期不同的是，《德文新報》此時已經有了自己的通訊稿件來源，編輯部不再需要依靠路透社的供稿。

---

26 即本文在第二章所提及德國報刊排版樣式為瑞典同行及美國學者所不齒。

27 雖然本文前述否定了 Ullstein 在其報刊 BZ am Mittag 中設置目錄的做法為首創一說，但芬克將目錄工整地放在正文部分頭版的做法與德國國內同一時期的報刊狀況顯示出了高度的一致，這一點還是頗值得注意的。

28 該專欄後來幾次易名，一八九九年八月十二日第十三年四十五期開始改為電報消息每周概述（Wochenübersicht nach telegraphischen Nachrichten），一九〇〇年三月起直接簡化為一周概覽（Wochenübersicht），一九〇三年更名為電訊（Kabelmeldungen），直至大戰前。

東亞評論（Rundschau in Ostasien）專欄與以往有了相當不同的地位，欄目中的二級分類名目有了明顯增加，除了中國、日本、朝鮮之外，菲律賓、暹羅、英屬海峽殖民地、西伯利亞地區都在其中，甚至膠澳租借地（Kiautschou-Gebiet）也被單列出來，德國人儼然已經對自己佔領的這塊中國的土地另眼相看了。這一欄目的版面位置被提前至編輯部社論之後，成為《德文新報》報導內容中第二重要的部分。[29]

原有的人物消息（Personal-Nachrichten）、小品隨筆（Feuilleton）[30]、綜合新聞（Vermischte Artikel）及船舶航運消息（Schiffs-Nachrichten; Marine-Nachrichten）專欄均按照原有風格保存下來，而中英文刊物概覽則幾乎不再出現，這是《德文新報》發展的必然結果。在這一時期，《德文新報》編輯部已經能得到東亞地區十餘家不同語種報刊的直接供稿，既然如此，編輯部就無須摘編其它報刊的消息來為自己的讀者刊登二手資料。文學專欄（Literarisches）不再出現在讀者的視線裏，這是因為報刊所在的社會環境競爭更加激烈，還是因為芬克受到英美報業的影響而拋棄了歐洲報業中偏好文學的傳統？這兩方面都是有可能的。畢竟，芬克是一個天生的報人和記者，他懂得如何將報

29 東亞評論專欄在二十世紀初先後改名為 Rundschauim Osten 和 Politische Rundschauim Ostasien，但專欄內容並無大的變化。

30 自一八九九年八月十九日第十三年四十六期開始，每期 Feuilleton 專欄都添加一句譯成德文的中國諺語，極大地增添了該專欄的中國傳統文化色彩。例如，Kein Kind hält seine Mutter für hässlich.（子不嫌母醜）（Der Ostasiatische Lloyd. 2. Dezember 1899.）；Einerbaut die Strasse, der anderegehtdarauf.（一人修路，眾人受益）（Der Ostasiatische Lloyd. 26. Januar 1900.）。

一九○八年，原有 Feuilleton 專欄被 Kleine Zeitung 取代，後者直譯為小報，在這裏有報中之報的含義。從刊載的文章內容及風格來看，與之前 Feuilleton 並無大異。該專欄的角色一直可以視作《德文新報》的文藝副刊。

芬克主編時期，該專欄也以與中國相關的內容為最多，且文章中引用中文典籍之處還附注了繁體中文字。另外，在這一時期，新書及雜誌（Neue Bücher, Kunstblätter und Zeitschriften）緊隨其後，成為正文部分的壓軸專欄。

刊經營的更好。還有一個事實是非常顯明的：從德國佔領膠州灣開始，德國人在中國和遠東地區的主題就不再只是貿易、工業、傳教或者文化等溫和的字眼，海陸兩軍（Flotte und Heer）專欄的設置便是最好的解釋。當然，作為一切活動的根本支柱，新添加的貿易和工業（Handel und Gewerbe）專欄則毫無爭議地也具有其存在的必要性。

另外，德國僑民的逐漸增多又使得本地新聞（Lokalnachrichten）專欄[31]的設置成為必要，這一專欄既細化了新聞報導的分類，又為整個刊物帶來了生活的氣息。該專欄以刊載上海本地消息為主，兼顧中國及遠東各主要德僑聚居地區，是典型的為遠東各地區德國僑民服務的地方性消息專欄。然而，進入一九〇七年，本地新聞（Lokalnachrichten）專欄不再出現，並不是這一專欄消失了，而是因為其發展成了更大規模的副刊。

從一九〇七年起，《德文新報》增設《上海消息》（Shanghaier Nachrichten）副刊，主要登載上海本地新聞，德國僑民在滬文化、體育、文藝活動的消息，以及德國僑民俱樂部、協會組織等的相關信息通告，最初為二至四版，一九〇九年前後逐漸增加至八版，直至一九一三年大戰爆發前，內容最多時為十二版。《上海消息》增刊的出現，是《德文新報》發展中重要的擴版舉措，綜觀其三十年的發行歷程，從《上海消息》出現至大戰爆發前，可以稱為《德文新報》的鼎盛時期。

那瓦勒時期的商業副刊在一八九九年後也被保留下來，並在內容上作了適當調整，版面數在二至四版之間，有特殊信息需要刊登時，則會增至六至八版。自一八九九年七月二十二日第十三年四十二期開

---

31 該專欄一九〇三年起更名為本地及東亞綜合消息（Lokala-und vermischte Nachrichtenaus Ostasien）。

始，商業副刊的發行信息被納入報頭內容之中：「德文新報，遠東地區最早的德文報刊，（創刊於一八八六年），每周六下午上海發行，商業副刊（Handelsbeilage）每周一下午發行。」[32]由其單獨的發行時間可以推測，編輯部必是安排專門人員負責此副刊，使其成為相對獨立並且重要的一部分。那麼「《德文新報》增刊」（Beiblattzum」Ostasiatischen Lloyd）這樣的刊名就著實顯得不太相稱了。一九〇〇年四月六日第十四年十四期《德文新報》中附帶的商業副刊有了新的德文刊名：Handelsbeilage des "Ostasiatischen Lloyds"。[33]進入二十世紀第二個十年之後，商業消息（Handelsnachrichten）[34]有了新的變化，內容不再以英文的市場訊息為主，而是以德文刊出文字性商業介紹及分析文章，在該副刊的可讀性方面又前進了一大步。

從一九〇〇年四月六日第十四年十四期《膠州消息》副刊的一條廣告中可以知道，一九〇〇年一月十五日，中文《青島報》在青島大鮑島（Tapautau）[35]創刊，發行範圍包括膠州地區及整個山東省。德國的貿易在整個山東的推廣有了新的平臺。該廣告中明確說明：本刊的發行部很樂意接受各類的廣告，並可提供中文翻譯。[36]隨後，一九〇〇年七月七日，作為當時德國督署官方報刊的《青島官報》創辦，以周報形式每周六出刊。新的報刊出現　在膠澳租借地，使得《德文新報》中《膠州消息》副刊在一九〇一年四月畫上了句號。

32 Der Ostasiatische Lloyd. 22. Juli 1899, S.731.

33 直譯為《德文新報》商業增刊。

34 1908年《德文新報》的商業副刊更改了刊名，刊名更改為獨立的「商業消息（Handelsnachrichten）」，而不再附加「副刊（Beilage）」字樣，但刊載內容沒有發生大的變化。

35 即當時青島的華人居住區。

36 NachrichtenausKiautschou. Der Ostasiatische Lloyd. 6. April 1900, S.83-86.

## 第三節　第一次世界大戰期間（1914-1917）

一九一四年開始，一切都變得不一樣了，《德文新報》與過往完全訣別，像一份全新的刊物。二十餘年的發展所形成的「德文新報風格」消失不見。在世界大戰戰況發展的背景之下，《德文新報》正文分為戰爭（Der Krieg）和東亞（Ostasiatischer Teil）兩部分，並且，大部分的版面完全投入戰爭報導之中。[37]其中，戰爭部分的內容是從前不曾有過的，東亞部分則僅保留了編輯部社論、東亞評論（Politische Rundschauim Ostasien）等少數專欄。戰爭中的《德文新報》，與其說是一份報刊，不如稱其為一份「德國一戰指南」。

Der Ostasiatische Lloyd

Der Krieg.

Carlowitz & Co.

圖二　一九一六年一月十四日《德文新報》正文頭版

37 這一時期，《德文新報》原有的正文內容目錄被撤出頭版，而是以單獨夾頁的方式添加在正文頭版之前。

如果僅僅孤立地從一份報刊本身的角度來看,《德文新報》自一九一四年前後開始發生的變化是非常突然的,但放在一九一四年的背景之下,卻又可以理解為戰爭所帶來的某種必然。當現實局面出現國家利益的對抗,報刊會偏離原本的位置而不自覺地為自己的祖國吶喊,這是報業發展史中可以為人所理解的報之常情。然而,對德國報刊而言,戰爭並非是這一切變化的根本。有一點原因是不可忽視的,即《德文新報》始終充滿著報刊的德國性,這是十九世紀至二十世紀初的大部分德國報刊都擁有的脾性:當愛國主義被推到最前沿的時候,大部分報刊會將自己原本堅持的信念擱置一邊,這在抵抗拿破崙的戰爭中,在俾斯麥領軍下的德國統一戰爭中都曾反覆上演,進入二十世紀,德意志帝國皇帝威廉二世同樣以愛國主義的方式將德國的報刊招入自己的陣營中。這件事只屬於德國。

大戰時期《德文新報》的突然變臉不止體現在正文的格局上,也明顯地暴露在留給廣告的版面空間上。眾所週知,十九世紀三〇年代,隨著大眾化報業時代到來,廣告就成了近代報刊中不能缺少的一部分內容。雖然,對報刊而言,這部分併不能與極具可讀性的正文相提並論,但卻從來不能被忽視。即使商業化程度不及英美國家,十九世紀的德國報業運作中還是不能缺少廣告的配合,並且,德國報刊中的廣告部分在很長一段時間裏都保持著自己的特點。在英美報刊的包圍中,《德文新報》亦是如此。那麼,本文對《德文新報》的內容分析也就從廣告開始。

# 第五章
# 《德文新報》廣告

廣告本不該是一份報刊的主要角色。然而，《德文新報》的廣告部分卻是最先引起筆者對該報特點進行思考的因素。僅僅以流覽的方式閱讀《德文新報》，也能被其廣告部分深深吸引。與同時期其它在華外報的廣告只是版面中的附屬品相比，《德文新報》的廣告有屬於自己的專版、專欄，各類廣告亦有相應的分類。更值得一提的是，每期刊物的第一部分內容不是正文，而是廣告部分。因而，本文對《德文新報》的刊載內容展現，將從廣告開始。另一方面，首先分析廣告部分，對下一步充分展現正文部分的特點有著抛磚引玉的功效。

如前文所述，《德文新報》以副標題來表明立場：遠東地區德國人利益之音。當時，英美報刊以純商業模式接收、刊載廣告，是為報刊經營的主流，而《德文新報》的廣告刊載卻鮮明地體現了其自身特點：為德國人的利益服務。這正是該報實現其辦報宗旨的最鮮明體現。在現有的論及《德文新報》的著述中，未見有相關論述提及該報的廣告部分。事實上，廣告在《德文新報》的版面中一直是佔有相當大比例的。根據對《德文新報》廣告的量化分析，筆者認為，對該報廣告部分的研究可以成為解釋在華外報在報業傳統、範式等方面存在差異的一個組成部分。通過對該報廣告的分析，既是展現彼時德文報刊的發展變化的一個方面，又能夠為筆者所提出的各語種、各國家的在華外報應當區別對待這一觀點提供證據。

## 第一節　思路與研究方法

本章以《德文新報》廣告作為研究對象，是基於對該報廣告部分的閱讀及進一步的抽樣量化分析。抽樣統計資料所顯示的廣告所佔份額是本文確定分析對象的關鍵。一方面，廣告在《德文新報》中所佔比重較大，但在現有著述中卻未受到關注，因而這是值得探討的，藉此可以部分地展現《德文新報》的發展及特點。另一方面，該報廣告內容中所體現出來的為德國人利益服務的傾向，明顯與在華英美外報的廣告刊載遵循商務邏輯有所不同。綜合以上兩點，可以肯定，對《德文新報》廣告的分析可以在一定程度上回答各種在華外報之間存在差異的問題。

關於本文研究所進行的統計抽樣[1]，需作以說明。由於是對歷史文獻資料的統計分析，因而所進行的資料統計不同於社會調查類統計。在遵循抽樣統計慣用方法原則的基礎上，同時考慮到圖示展現的可能性，設定一八九六年至一九一七年每一研究階段現有《德文新報》原件為抽樣框[2]，採取隨機抽樣與分層抽樣[3]相結合的方法，每層

---

1 本文統計方法主要參考文獻：柯惠新、祝建華、孫江華：《傳播統計學》（北京市：北京廣播學院出版社，2003年），戴元光：《傳播學研究理論與方法》（上海市：復旦大學出版社，2004年）。

2 抽樣框：是總體要素的列表或準列表。要想保證樣本對總體的代表性，抽樣框就要包含所有的（或者接近所有的）總體成員。艾爾·芭比：《社會研究方法》（北京市：華夏出版社，2005年），頁192。根據筆者所能應用的研究資料情況，一八九六年至一九一七年八月十七日《德文新報》共出版約一千一百二十五期，現保存原件總數超過一千期。因而，本文抽樣將所有現存《德文新報》原件設定為抽樣框，基本符合要求。

3 分層抽樣：在抽樣之前將總體分為同質性的不同群（或層）。這一程序能夠提高樣本的代表性，還可以與簡單隨機抽樣、系統抽樣或整群抽樣結合起來使用。艾爾·芭比：《社會研究方法》（北京市：華夏出版社，2005年），頁199。

時間段最大單位為一個月，即每四至午期《德文新報》為一層，抽取一至二期作為樣本。本文所展現的樣本資料均為經過一至二次分層之後所得到的平均數。例如，下文中關於芬克主編前期（1899-1913）版面數量統計所呈現的樣本數為六十，在確定了六十這個可以展現的樣本數之後，首先以每年為單位將研究對象分成十五個時間段，那麼每年所要提供的樣本數為四，簡單來說，就是平均每三個月（即一個季度）抽取一個樣本，也就是從十二至十三期中以抽籤法的方式抽取一期作為一個樣本。但是，如此抽樣所得資料未免過於粗糙，並且無法避免某一期刊物中可能出現的特殊情況。為儘量避免某一期樣本的特殊性，進一步在三個月的時間段內進行分層抽樣，即每個月抽出兩期，最後得出三個月的平均數據，作為樣本進行分析。

關於以每三個月的抽樣平均數作為最後的分析樣本，這一方法是否合理，筆者隨機以《德文新報》一九〇一年的資料分析作以解釋。統計資料如圖一所示。

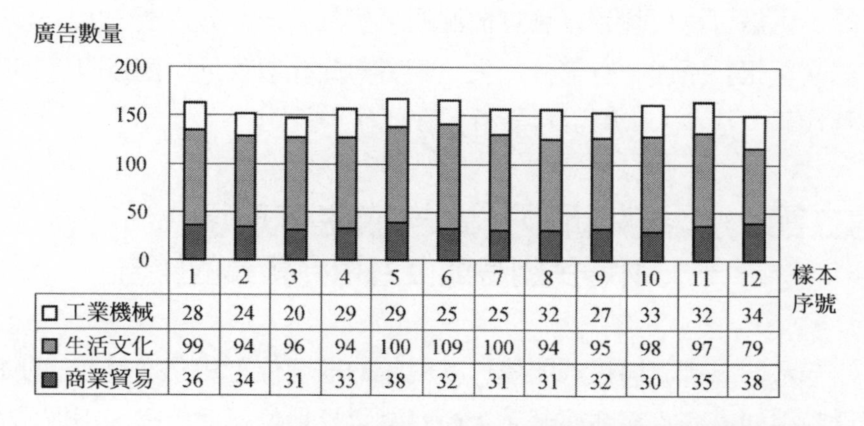


| 樣本序號 | 1 | 2 | 3 | 4 | 5 | 6 | 7 | 8 | 9 | 10 | 11 | 12 |
|---|---|---|---|---|---|---|---|---|---|---|---|---|
| □ 工業機械 | 28 | 24 | 20 | 29 | 29 | 25 | 25 | 32 | 27 | 33 | 32 | 34 |
| ■ 生活文化 | 99 | 94 | 96 | 94 | 100 | 109 | 100 | 94 | 95 | 98 | 97 | 79 |
| ■ 商業貿易 | 36 | 34 | 31 | 33 | 38 | 32 | 31 | 31 | 32 | 30 | 35 | 38 |

**圖一　一九〇一年《德文新報》各類廣告數量變化圖**

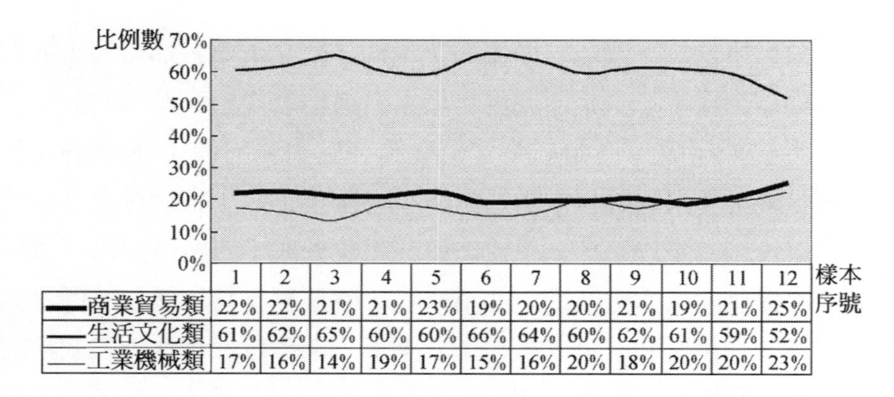


| | 1 | 2 | 3 | 4 | 5 | 6 | 7 | 8 | 9 | 10 | 11 | 12 |
|---|---|---|---|---|---|---|---|---|---|---|---|---|
| 商業貿易類 | 22% | 22% | 21% | 21% | 23% | 19% | 20% | 20% | 21% | 19% | 21% | 25% |
| 生活文化類 | 61% | 62% | 65% | 60% | 60% | 66% | 64% | 60% | 62% | 61% | 59% | 52% |
| 工業機械類 | 17% | 16% | 14% | 19% | 17% | 15% | 16% | 20% | 18% | 20% | 20% | 23% |

**圖二　一九〇一年《德文新報》各類廣告所佔比例變化圖**

圖一和圖二是一九〇一年的分析，無論是從廣告數量上，還是從廣告的各類內容上來看，一年中的廣告變化呈相對平穩的態勢，未有大起大落的情況出現。根據筆者所能查閱到的《德文新報》二十年原件，在一定時期內保持相對的穩定，是這份報刊的特點之一。因而，以上所陳述的抽樣方法及樣本確定方法對於本文的資料分析而言是可行的，也是可以反映該報真實情況的。另外，一八九六至一九一七年《德文新報》原件中有部分丟失，筆者對此採取就近原則以臨近期數作為代替，基本未影響資料分析，在此作一說明。

## 第二節　《德文新報》廣告的生存環境 ——晚清民國時期上海租界報業的廣告

一八四三年上海正式開埠，其優越的地理位置和交通航運的便利條件吸引西方商人接踵而至，上海商業貿易地位迅速上陞，不僅成為中國對外貿易的最大進出口基地，同時也是外商在華投資開工廠的必爭之地。近代上海的進步與商業的發展相輔相成，新聞媒介繁榮也與之密切相關。隨著外文報刊在上海的出現，外商就此將近代報刊及報刊廣告的範例一併帶入了上海。外報對廣告極為重視，因為廣告既是為商家服務、推動商業發展的需要，也是商業報刊盈利的重要管道。在英國，早在一八三三年廣告稅減半之前，報刊對廣告就已經產生了依賴性[4]，到十九世紀中葉，英美報業基本上實現了商業報刊與政黨報刊的各自獨立。[5]因而，在近代報刊來到中國之後，依靠廣告盈利的商業報刊特點就已經在英美報刊中表現得十分明顯。

一八五〇年上海租界外僑不過兩百一十人[6]，他們的角色基本一致——商人，商業行情、船期預告、產品銷售代理等信息和廣告內容對於為在華尋求商業利益的外商們來說，其重要性不言而喻，服務於商業活動的《北華捷報》所刊登的主要內容恰好是他們所關心的商業信息及廣告。繼《北華捷報》之後，以刊登商業信息為主的各類近代報刊在上海租界陸續創辦，並逐漸佔據了早期上海租界報刊的主導地位，相關學者研究發現，「上海報刊創辦的遞增和外貿總額的遞增，恰恰幾乎是同步的。」[7]

近代上海外商創辦的最重要的中文報刊《申報》，在創刊初期，廣告、商業行情、船期預告幾乎佔了全部報刊版面的一半。[8]據學者

---

4 James Curran, Jean Seaton. Power Without Responsibility: The press, broadcasting, and new media in Britain. New York: Routledge, 2003: 29-30.

5 Ulf Jonas Bjork. Germany: Mass-Circulation Newspapers shaped by an Authoritarian Setting. // Edited by Ross F. Collins and E. M. Palmegiano. The Rise of Western Journalism, 1815-1914. Jefferson: McFarland & Company, Inc., Publishers,2007: 115.

6 鄒依仁：《舊上海人口變遷的研究》（上海市：上海人民出版社，1980年），頁67。

7 秦紹德：《我國近代新聞史探微——兼論香港、上海早期報刊》，《新聞研究資料：總第48輯》（北京市：中國社會科學院新聞研究所，1989年）。

8 據相關學者研究，一八七二年英國商人美查在上海創辦《申報》，當年四月二十三日發行的創刊號共計八版，其中第六版的內容是轉載《京報》的報導及廣告，第七版全部刊登廣告，第八版登載市場行情及船期，實際上也是廣告。朱英：〈近代中國廣告的產生發展及其影響〉，《近代史研究》2004年第4期，頁87-115。

馮躍民對《申報》統計，一八七五年的華商廣告約每日十條左右，僅為外商廣告的四分之一。[9]在當時，報刊廣告對中國來說仍然是新鮮事物，華商市場意識淡薄，經營管理較為封閉、保守，鮮有華商能夠認識到廣告的作用，也就無可言將報刊廣告和開拓市場這兩者聯繫起來；相形之下，外商極為重視在報刊上刊登廣告，他們為在中國銷售商品，早已將廣告作為市場擴張的重要手段。[10]

關於上海外報的廣告發展狀況，有學者這樣記錄：在華外文報刊的經營者主要是在華的外籍人士，他們所經營的報刊同時也承擔了廣告媒介的重要角色。就上海而言，外文報刊主要有：英文《字林西報》（North-China Daily News），英文《文匯報》（Shanghai Mercury），法文《中法新彙報》（l'Echo de Chine），德文《德文新報》（Der Ostasiatische Lloyd）等。[11]其中，具有代表性的一例是英文《文匯報》[12]（Shanghai Mercury），該報自一八七九年十二月十八日後，每期附發「增刊」（Supplement），主要刊登一些廣告、船期表及行情表等。增刊的出現，完全是為了適應廣告客戶不斷增加的需要。《文匯報》在其「通告」欄中褒揚「增刊」說，「作為對主要市場所有商務一周的總結，增刊是任何商界人士的必備手冊」[13]，並稱它為最有價

9 馮躍民：〈從1875-1925年《申報》廣告看中外「商戰」〉，《檔案與史學》2004年第2期，頁25。

10 馮躍民：〈從1875-1925年《申報》廣告看中外「商戰」〉，《檔案與史學》2004年第2期，頁25。

11 Albert Feuerwerker. The Foreign Establishment in China in the Early Twentieth Century. Michigan Papers in Chinese Studies No. 29. Michigan: The University of Michigan Lane Hall (Publications), 1976: 8.

12 一八七九年四月十七日，英文《文匯報》（Shanghai Mercury，又譯《文匯西報》）誕生於上海租界，該報擁有長達五十一年的歷史。徐志紅、陳慶華：〈創刊初期的英文《文匯報》（晚刊）〉，《新聞大學》2001年冬季號，頁58-60。

13 Shanghai Mercury，第2卷第1期，第2版，1879年12月18日。轉引自徐志紅、陳慶華：〈創刊初期的英文《文匯報》（晚刊）〉，《新聞大學》2001年冬季號，頁58-60。

值的商業導讀。[14]

租界裏發達的工商業為報刊的發展提供了充足的資金與豐富的廣告來源。因而，在當時，「報館於售報之外，其大宗收入，本以廣告為首」。[15]「廣告資源對於商業性報刊有雙重意義，一方面，它滿足了商業活動的要求，擴大了讀者和廣告客戶；另一方面，成為商業性報刊收入的主要來源，支撐和促進其發展壯大。」[16]在華外報一直以英美報人為主導，他們手下所經營或主編的報刊，無論在新聞業務上，還是在經營運作及廣告方面，都體現著彼時英美報刊的特點：標榜客觀公正，依靠廣告盈利。這逐漸成為在華外報的主流運營模式。然而，存在主流並不意味著整齊劃一。同樣作為在華外報的《德文新報》既順應了廣告支持報業的大趨勢，同時又鮮明地堅持著自己的宗旨，由此，這也在一定程度上體現了彼時德文報刊的特點。

## 第三節　《德文新報》廣告刊載的發展變化

如前文所述，《德文新報》自一八八六年創刊，至一九一七年因一戰原因停刊，前後在中國發行三十年，是遠東地區規模最大、發行時間最長的德文報刊，影響波及整個遠東地區，在德國本土及歐美其它國家都有訂戶。就其豐富的各類商業信息和廣告而言，該報在當時德國對華及遠東地區的商業貿易中起到了重要的橋樑作用。更重要的在於，在《德文新報》廣告的發展變化中，該報所代表的德文報刊的

14 徐志紅、陳慶華：〈創刊初期的英文《文匯報》(晚刊)〉，《新聞大學》2001年冬季號，頁58-60。

15 姚公鶴：《上海閒話》(上海市：上海古籍出版社，1989年)，頁136。

16 陳冠蘭：〈近代中國的租界與新聞傳播〉，《新聞與傳播研究》，2008年第15期，頁2-8。

報業傳統也越來越得到體現。正如西方新聞史學者在分析英美與歐洲大陸各國報業傳統及範式時所得出的結論一樣，英美與歐洲各國在報業傳統及發展等方面是不可以同一而論的，它們各有其自身特點及不同的發展階段，在同一歷史時期，呈現著不同的狀態。當各個國家、各個語種的報刊來到中國之後，不同報業傳統之間的差異也被移植了過來。

## 一　《德文新報》廣告刊載背景

十九世紀的中國，是西方列強競爭的對象，作為重要開放港口的上海無疑是諸外商不能捨棄之寶地。自十九世紀四〇年代上海開埠，外商湧入日漸其多，貿易競爭日漸激烈，各國商者若要在上海站穩腳跟並爭取優勢，必然需要利用一切手段來輔助商業活動，報刊上的信息廣告便是必不可或缺的一項。

一八七一年，德國完成統一，政治環境的穩定更有利於促進經濟快速發展。與此同時，德國在海外的商業及殖民擴張腳步也日益加快。就媒介宣傳機構而言，一八八四年，在柏林出版了德國殖民地（貿易）公司發行物《殖民報》（Deutsche Zeitung），該報與德國在世界各地（主要是殖民地與租借地等）所發行報刊密切相關，《德文新報》中的許多消息就是轉引自該報。[17]一八八六年《德文新報》在上海創刊之時，就是以刊登商業信息為主的報刊這一姿態呈現的，主要

17 640. Anon. 1910. “Von den Matianen Inseln (hierzu 6 Bilder).” Deutsche Kolonialzeitung 27, n° 10, p. 161. Dirk H. R. Spennemann. An Annotated Bibliography of German Language Sources on the Mariana Islands. Saipan, Commonwealth of the Northern Mariana Islands: Division of Historic Preservation, 2004. 本文的研究對象《德文新報》中時有引用該報之文章。

刊載船運通告、商業信息及德國產品廣告。與其它在華英美報刊標榜客觀公正不同，該報在報頭顯明處表明其宗旨和性質：遠東地區德國人利益之音。[18]就一份報刊而言，代表德國人利益最直接的體現就是經濟利益，而為經濟利益服務的最直接手段，則是廣告。該報在每期報頭刊載訂閱信息，末尾處還特別注明該報在德國設有獨家廣告代理[19]，這為德國本土商人等對遠東地區的貿易往來及相關信息掌握提供了更為便捷的管道。彼時在華外報的廣告運作，以英美報業的純商業模式為主流，相比之下，《德文新報》的廣告刊載明顯帶著特立獨行的味道——與德國相關的廣告在該報全部廣告的佔有量上呈現一邊倒的態勢。本文對二十年《德文新報》原件所進行的研究[20]占整個《德文新報》出版時間的三分之二，基本上可以反映該報發展的整體面貌。《德文新報》在廣告刊載的問題上，確實能一直堅持其宣稱為德國人利益服務的宗旨嗎？這一宗旨會限制該報的發展嗎？下文將作出一定程度的解答。

## 二　《德文新報》廣告的基本設置

《德文新報》在不同時期都出現了版面改革的跡象，綜觀該報的內容設置，大致可分為以下幾個部分：一、正文之前為第一部分，刊佈船運、銀行、貿易公司註冊布告及一周氣象信息等公告性內容及各類商業廣告。隨著公共租界德國社區的發展，教會禮拜信息也會不定

18 即報頭處"ORGAN FÜR DIE DEUTSCHEN INTERESSEN IM FERNEN OSTEN."所表達的意思。

19 即報頭處"AlleinigeAnnahme von Inseraten in Deutschland: Berlin SW., Lindenstr. 47."

20 因原始資料有部分缺失，只能將研究範圍確定在一八九六至一九一七年間，這對本文的研究而言是一大遺憾，但對那瓦勒主編時期的最後三年《德文新報》的廣告進行研究，仍然可以較好的總結出那瓦勒時期的廣告特點。

期在此刊登。二、隨後為正文部分[21]，刊載本報主編評論文章、編譯新聞報導及文藝類文章，同時，其中往往闢出專欄報導德國商船每周的活動。在版面允許的情況下，少數廣告也會在這一部分的最後出現。三、第三部分欄題為「德國出口工業」（DEUTSCHE EXPORT-INDUSTRIE.）[22]，內容涉及工業機械和家用機械，鋼鐵鑄造，化學工業，電氣照明，橡膠製品等多個門類。[23]四、一至兩個英文副刊[24]，版面數一般控制在六至八版。五、一八九八年九月五日（第十二年四十八期），增刊的《膠州消息》（NachrichtenausKiautschou）副刊，同樣附有少量廣告，突出特點是其中的廣告內容與膠澳租借地直接相關。

## 三　《德文新報》廣告的發展變化及階段特點

從廣告刊載的方面來看，芬克任職主編後期，即一九一四年至一九一七年期間，由於大戰的緣故，多數版面被用作戰爭宣傳，廣告在整個報刊版面中所佔的分量明顯降低。因此，本文對《德文新報》廣告的分析分為以下三個階段：

第一階段：一八九六至一八九八年，那瓦勒任主編時期。[25]這段時間可以被認作是那瓦勒主編《德文新報》的最後階段。

21 正文部分在那瓦勒時期為十二版左右，芬克接手後，根據改版情況逐年增加。

22 「德國出口工業」的廣告專版後來不復存在，下文將作論述。

23 關於「德國出口工業」（DEUTSCHE EXPORT-INDUSTRIE）專欄，其刊載位置並不固定，有時集中於每期《德文新報》的最後部分，有時位於正文與英文附刊之間。因此，各部分內容的陳述並不體現其在《德文新報》中的先後順序。

24 該副刊在芬克主編時期被改版成為固定的「商業副刊」（Handelsbeilage des „Ostasiatischen Lloyds“），後文將做論述。

25 一八九九年初，那瓦勒依然任職《德文新報》主編，但彼時芬克已參與到該報的出版發行工作中，由該報的編輯部啟示以及報頭信息的變化可知，一八九九年二月十八日起，《德文新報》由芬克接任主編一職。

首先，報刊的第一部分為單列的信息、廣告專版[26]，這一傳統一直延續到一九一七年三月該報臨近停刊前。[27]在那瓦勒時期，第一部分廣告專版的規模一直保持在四版左右，刊佈各類商業廣告及船運、銀行、貿易公司註冊布告。隨著公共租界德國社區的發展，一周氣象信息、教會禮拜信息等公告性內容也會根據版面安排不定期在此刊登。第二，在正文之後是「德國出口工業」（DEUTSCHE EXPORT-INDUSTRIE）專欄廣告，內容涉及工業機械和家用機械、鋼鐵鑄造、化學工業、電氣照明、橡膠製品等多個門類。從這一廣告專欄名稱上，就可以很明顯地讀出「德國專區」的味道。有學者在其論述中提到，外商所刊載的工業機械類廣告出現頻率高、佔據版面大，並且大多附有精細的圖畫說明，並且，「此類廣告也成為中國官員採辦西方機器設備的一個重要媒介」[28]，這在《德文新報》的「德國出口工業」（DEUTSCHE EXPORT-INDUSTRIE）專欄廣告中體現得尤為明顯。

第二階段：一八九九至一九一三年，芬克任主編前期。將第一部分信息與廣告獨立出來是一八九九年《德文新報》版面改革的重要一筆。在版面允許的情況下，正文中穿插有若干廣告。另外，自一九〇〇年四月起，原有刊載商業信息的副刊增設刊名《商業通訊》（Handelsbeilage des “Ostasiatischen Lloyds”）[29]，與那瓦勒時代刊載

26 當時，例如英文《字林西報》、《文匯報》等的前一至二版大多是船期信息、廣告類內容，但在版面上並未與正文報導明顯區分開，《德文新報》單獨闢出數個版面作為信息、公告、廣告專刊的做法是其它外文報刊所沒有的。

27 一九一四年大戰爆發，時年底，《德文新報》第一部分的版面數開始出現下滑趨勢；一九一五年該部分版面數從年初的十二版逐漸減至年底的六版；一九一六年再降到二至四版；一九一七年三月起，第一部分廣告專版消失。

28 馮躍民：〈從1875-1925年《申報》廣告看中外「商戰」〉，《檔案與史學》2004年2月，頁26。

29 以 Handelsbeilage des „Ostasiatischen Lloyds“ 為刊頭的《商業通訊》副刊在那瓦勒時代就已存在，即本文前述第四部分的英文復刊。芬克時代將副刊部分逐步分類規範，並添加副刊的刊頭。

商業信息的副刊不同，芬克時期的《商業通訊》除了對原有各類商業信息及廣告進行更加詳細的分類之外，也會根據版面空間添加數個廣告。因而，無論是單篇廣告的版面空間、還是總體版面數，改版後的《商業通訊》使得《德文新報》的廣告份額都較之前有所增加。另外，原有的「德國出口工業」廣告專欄在芬克接任主編後便不復存在，事實上，是將原有的專欄字樣取消了，但是，想要在這部分廣告專頁中找到與德國無關的廣告，依然很困難。一九〇七年增刊的《上海消息》，以文字為主，依據版面空間安插廣告，但數量不多。

另一方面，從一八九九年四月起，隨《德文新報》機構的調整之際，廣告業務也調整了相關負責人，在柏林和上海都設有專門人員負責廣告業務。自一九〇〇年十一月十六日（第十四年四十六期）開始，正文開始處注明，該報每周廣告業務接收於周四中午十二點停止。不得不說，芬克主編時期，在世界報業專業化的趨勢之下，《德文新報》廣告業務的專業化程度邁進了一大步。

第三階段：一九一四至一九一七年，大戰時期。一九一四年前後，隨著大戰的到來，為配合戰爭宣傳[30]，《德文新報》的結構發生變化，以廣告部分為最明顯。有新聞史類著述記錄第二次世界大戰爆發後，廣告銳減導致了英國的報刊版面的縮水；而在德國，自希特勒掌權後，報刊即成為宣傳的工具，不得以大量篇幅登載廣告。[31]戰爭對報刊的這種影響，在第二次世界大戰時才出現在英國；相比之下，事實上，德國的報刊早在一九一四年大戰時就已經因為戰爭的發生而作出改變了，《德文新報》即是一例。在戰爭宣傳的層面上，可以說，德國的報刊比當時報業更為發達的英美國家更加敏感。

---

30 戰爭宣傳是德國報刊在一戰時期的最重要特點，在此不作詳細論述。

31 管翼賢纂輯：《新聞學集成（第三輯）》，《民國叢書第四編45》（上海市：中華書局，1943年，上海書店影印本），頁88-89。

綜觀《德文新報》廣告刊載發展的幾個階段，可以肯定，前後兩任主編的報業從業經歷保證了該報的專業化水準，僅從廣告專版的設置及改進中就可以證明。德文報刊從進入中國開始，就是由專業的德國報人來編輯發行的，而並非像某些英美商人所辦報刊那樣，聘請其它報人進行編輯和管理，這就保證了《德文新報》的德國性。十九世紀末二十世紀初，正是世界報業、尤其是西方報業迅速發展進步的時期，德國報刊同樣沒有落後於時代的腳步，從改版到增刊，專業化程度逐漸提高，同時，又保持了自己的本國特點，恪守為德國人利益服務的宗旨。

## 第四節　《德文新報》廣告刊載的內容分析

《德文新報》中究竟刊載了多少廣告，在一八九六至一九一七年間經歷了怎樣的發展變化？該報以「遠東地區德國人利益之音」為宗旨，那麼，究竟又是哪些廣告會在廣告版面中出現呢？以下，本文將從版面數量和內容方面對《德文新報》的廣告進行簡單的量化分析，以求證該報在報業廣告方面所體現的德國性。

### 一　《德文新報》廣告的版面數量分析

作為一份商業報刊，商業信息所佔版面及廣告數量的變化能夠在宏觀上反映出該報在不同發展時期的狀況。另一方面，相關統計資料對於進一步分析廣告內容的發展變化可以起到輔助和解釋作用。

#### （一）那瓦勒主編時期（1896-1898）

筆者對一八九六至一八九八年間《德文新報》進行的抽樣統計可

以用圖表的方式反映出來。[32]從數位和圖表中，可以清晰地反映出那瓦勒主編《德文新報》最後一階段的廣告刊載情況。

那瓦勒任職主編的最後三年中，《德文新報》在整體規模上基本呈現平穩態勢，略有小幅度擴版現象。根據圖三所提供的版面數量信息，將那瓦勒時期的最後三年一年為單位分為三部分，擴版主要發生在圖三中的第一部分，即一八九六年。同時，廣告版面數在一八九六年的增長幅度略有超出報刊擴版的幅度。也就是說，廣告不但佔據了

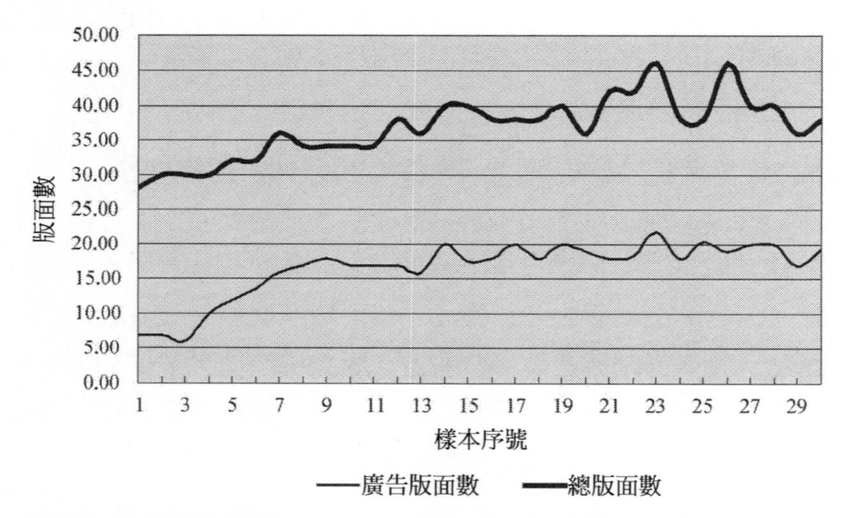


**圖三　那瓦勒時期（1896-1898）《德文新報》廣告版面數和總版面數走勢圖**

32 根據傳播統計學確定樣本量方法的慣例，以本部分研究的性質和資料分析要求為基礎，由於是探索性的定性研究，因而樣本量無需很大。因此，本統計資料抽樣方法如下：首先，研究對象三年《德文新報》總數為一百五十期左右，確定樣本數三十；第二，一八九六至一八九八年《德文新報》以每年為單位進行第一次分段，按照抽籤法，將每月編號，每段抽取十個作為下一步樣本抽籤範圍；第三，將第一次抽出的三十個月以每月為單位第二次進行分段，再次按照抽籤法將每段的四至五期《德文新報》編號，每段抽取一期作為樣本。根據《德文新報》自身的特點，該報在一斷時期內均呈現相對穩定的態勢，因而如上方法所抽取的樣本是具有代表性的。

擴版產生的所有版面空間，並且，在一定程度上佔據了其它內容的版面，這在一八九六年下半年尤為明顯（如圖四所示）。從這種增長中，不難感受到當時的德國在中國進行貿易擴張的步伐。[33]當一八九〇年德皇威廉二世逼迫俾斯麥辭職時，統一不久的德意志帝國正在工業和經濟方面上陞為歐洲的主要國家，在海外貿易中不斷開闢新的銷售地區則大大提高了德國在世界貿易中的比重。[34]卸任後的俾斯麥在一八九六年訪問漢堡港時，看到起重機和船隻一片忙碌的景象，不禁感歎：「這是一個新的、改變了的世界，是一個新的時代。」[35]因而，一八九六年《德文新報》中廣告比例的增長（如圖五所示）可以是德國對遠東地區貿易擴張的實例解釋。

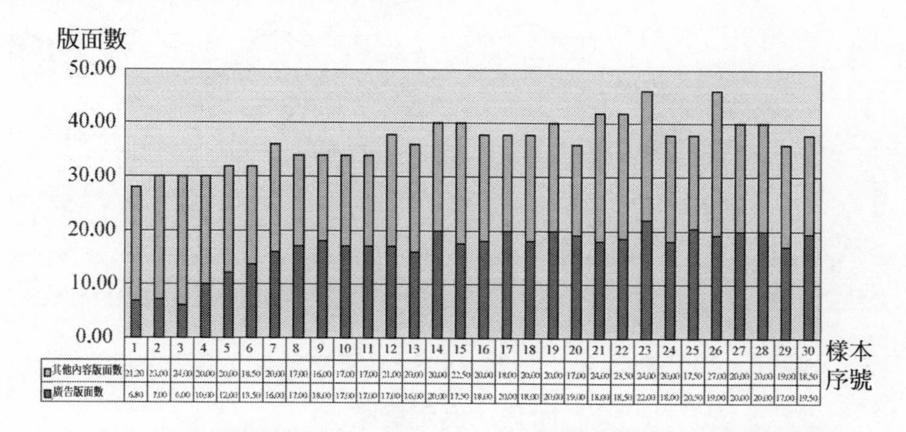


| 樣本序號 | 1 | 2 | 3 | 4 | 5 | 6 | 7 | 8 | 9 | 10 | 11 | 12 | 13 | 14 | 15 |
|---|---|---|---|---|---|---|---|---|---|---|---|---|---|---|---|
| 其他內容版面數 | 21.20 | 23.00 | 24.00 | 20.00 | 20.00 | 18.50 | 20.00 | 17.00 | 16.00 | 17.00 | 17.00 | 21.00 | 20.00 | 20.00 | 22.50 |
| 廣告版面數 | 6.80 | 7.00 | 6.00 | 10.00 | 12.00 | 13.50 | 16.00 | 17.00 | 18.00 | 17.00 | 17.00 | 17.00 | 16.00 | 20.00 | 17.50 |

| 樣本序號 | 16 | 17 | 18 | 19 | 20 | 21 | 22 | 23 | 24 | 25 | 26 | 27 | 28 | 29 | 30 |
|---|---|---|---|---|---|---|---|---|---|---|---|---|---|---|---|
| 其他內容版面數 | 20.00 | 18.00 | 20.00 | 20.00 | 17.00 | 24.00 | 23.50 | 24.00 | 20.00 | 17.50 | 27.00 | 20.00 | 20.00 | 19.00 | 18.50 |
| 廣告版面數 | 18.00 | 20.00 | 18.00 | 20.00 | 19.00 | 18.00 | 18.50 | 22.00 | 18.00 | 20.50 | 19.00 | 20.00 | 20.00 | 17.00 | 19.50 |

**圖四　那瓦勒時期（1896-1898）《德文新報》廣告版面數與其它內容版面數比較圖**

33 本文前文提到《德文新報》將在柏林設置獨家廣告代理的信息置於報頭處。因此，可以推斷，該報廣告的增多與德國對外貿易是正相關的。

34 迪特爾·拉甫：《德意志史——從古老帝國到第二共和國（中文版）》（波恩市：Inter Nationes，1987年），頁186。

35 迪特爾·拉甫：《德意志史——從古老帝國到第二共和國（中文版）》（波恩市：Inter Nationes，1987年），頁185。

對德國而言，俾斯麥所言之這「新的時代」的中國部分，則包括一八九七年的佔領膠州灣。一八九八年，《德文新報》增設《膠州消息》（NACHRICHTEN AUS KIAUTSCHOU）副刊，這是膠澳租借地帶來的必然。對這份報刊的廣告部分而言，意義同樣重大：德國產品的廣告向北擴展到青島地區，佔據了這一副刊的一定版面，並在其中透露了這樣的信息：Siemssen、Arnhold、Slevogt 等公司直接將貿易業務擴展到青島，在當地成立辦事處，並就其特點確定相關貿易產品範圍。[36]

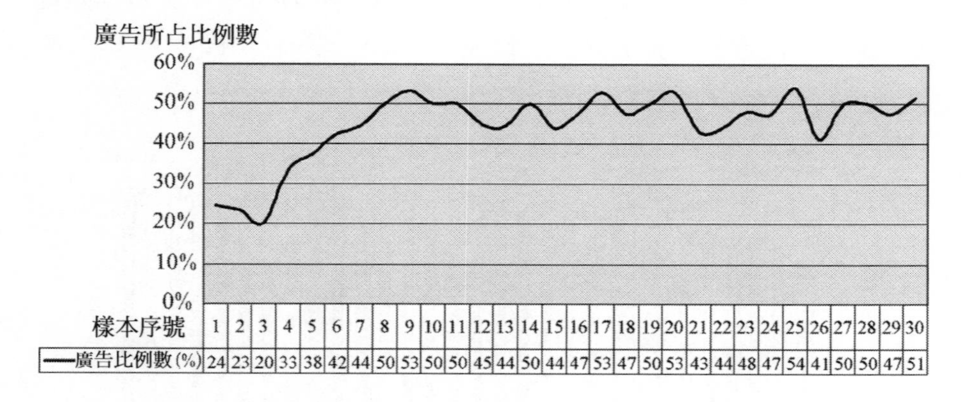


| 樣本序號 | 1 | 2 | 3 | 4 | 5 | 6 | 7 | 8 | 9 | 10 | 11 | 12 | 13 | 14 | 15 | 16 | 17 | 18 | 19 | 20 | 21 | 22 | 23 | 24 | 25 | 26 | 27 | 28 | 29 | 30 |
|---|---|---|---|---|---|---|---|---|---|---|---|---|---|---|---|---|---|---|---|---|---|---|---|---|---|---|---|---|---|---|
| —廣告比例數(%) | 24 | 23 | 20 | 33 | 38 | 42 | 44 | 50 | 53 | 50 | 50 | 45 | 44 | 50 | 44 | 47 | 53 | 47 | 50 | 53 | 43 | 44 | 48 | 47 | 54 | 41 | 50 | 50 | 47 | 51 |

**圖五　那瓦勒時期（1896-1898）《德文新報》廣告版面所佔比例走勢圖**

36 一九〇〇年五月十八日（第十四年二十期）封三正版內容為產品預告：七月十五日專供青島地區貨品：文具、顏料、攝影各類器材用具、望遠鏡諸類、自行車縫紉機、煙草、樂器、娛樂產品等。

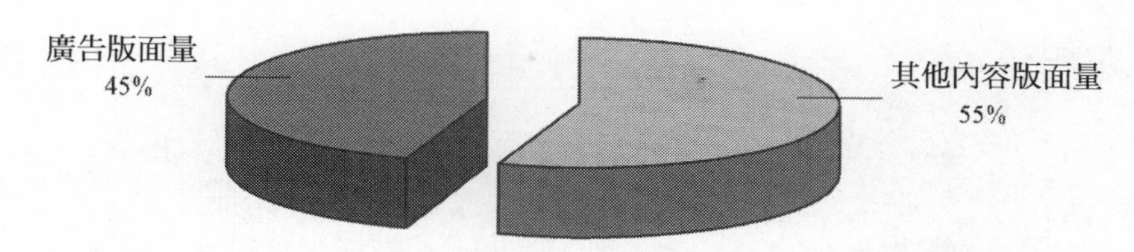


**圖六　那瓦勒時期（1896～1898）《德文新報》廣告所佔版面量平均數圖**

在對《德文新報》的多年苦心經營之後，那瓦勒隱退回國。在他執掌《德文新報》的最後一段時期中，信息、廣告內容佔據全報的幾乎半壁江山（如圖六所示），並日趨呈現穩定之勢。這就對於本文前述的疑問，作出了部分回答：「遠東地區德國人利益之音」的辦報宗旨並沒有削弱該報的廣告分量，正處於快速上陞期的德國工業強有力地支持了這一宗旨的實踐。在接下來的一個時期，又會出現怎麼樣的變化？究竟是什麼導致了這些變化？

## （二）芬克主編前期（1899-1913）

從報刊編輯的角度來說，芬克主編《德文新報》的前期，該報的面貌煥然一新，無論是正文、副刊，還是廣告，都較之前一時期更加規範和明晰，對於一份報刊而言，這是非常大的進步。然而，一系列的改變卻像是悄然出現的，一八九九年至一九一三年期間，《德文新報》在版面數量上呈現了穩定、緩慢的上陞趨勢。雖然，一八九九年初與一九一三年末相比，該報版面數量增加了一倍，但是，正如筆者在前文解釋抽樣方法時所言，《德文新報》在一段時期內均呈現相對穩定的態勢（如圖七所示）。讀者們無需為報刊的改版而改變自己的閱讀習慣，漸進式的改版使得閱讀更加輕鬆，讀者依然可以按照閱讀習慣尋找自己所需要的信息，可見，這位原職業報人是如此清楚怎樣將一份報刊經營得越來越出色。

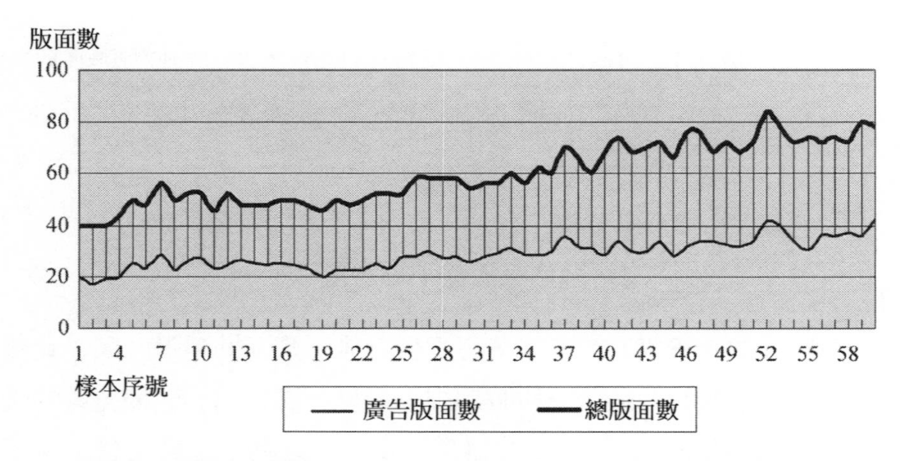


**圖七　芬克前期（1899-1913）《德文新報》廣告版面數及總版面數走勢圖**

就廣告部分的版面數來說，圖七中顯示，這一時期的廣告變化曲線與總版面數變化曲線形狀呈現了驚人的一致，只是起伏度略顯微弱。從比例上看，廣告版面數占總版面數的比例變化穩定在百分之四十至百分之五十五之間（如圖八所示）。而從圖七縱向陰影部分又可以獲知其它非廣告內容的版面變化情況：同樣是緩慢、穩步地增長。可見，《德文新報》的擴版所帶來的並不只是廣告分量的加重，正文內容同樣增加了。十九世紀末二十世紀初，廣告收入支持報刊發行逐漸成為這一行業的主流趨勢。廣告量的增加使得編輯部有條件對報刊進行改版、擴版。很顯然，這在《德文新報》中也得到了實踐，這一時期的《德文新報》開始出現正文配圖、配照片的夾頁，廣告夾頁也越來越精緻。當然，與眾不同的是，在《德文新報》的廣告中，與德國毫無關係的因素非常少見。

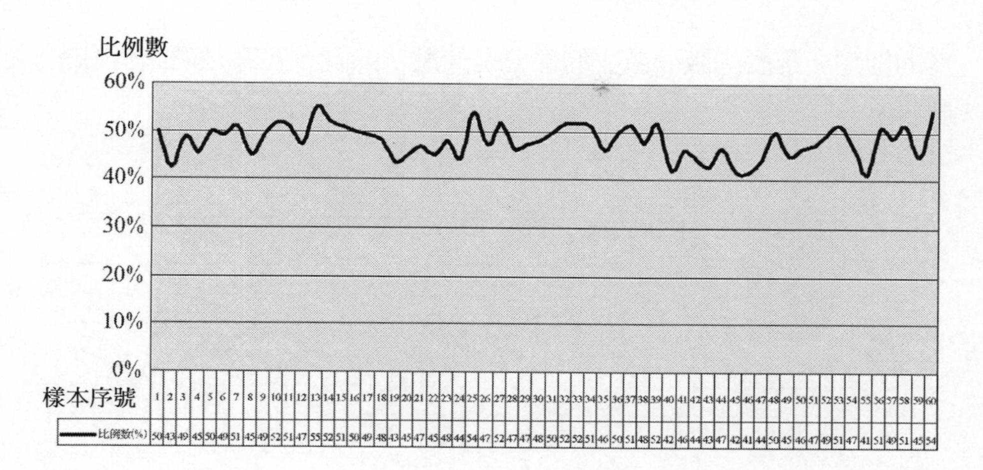


**圖八　芬克前期（1899-1913）《德文新報》廣告版面所佔比例走勢圖**

辛亥革命對在華外國勢力造成了一定的衝擊，德國也在其中。但袁世凱的掌權卻使德國，尤其是德國對華貿易在中國重新佔據了重要的位置。袁世凱對德國的認可帶來的是德中經濟關係蓬勃發展，然而，世界大戰的爆發卻給這一切蒙上了陰影。[37]

## （三）大戰時期（1914-1917）

德國的報刊等傳播媒介在一九一四至一九一八年世界大戰期間所進行的宣傳活動，在新聞傳播史上烙下了深深的印記，對此，美國學者 Harold D. Lasswell 在其博士論文 Propaganda Technique in World War I 中有詳盡的論述。

暫且不論內容，僅從版面數量上來看，《德文新報》也可以印證那個時期德文報刊的宣傳攻勢。圖九中縱橫線交叉部分清晰地表明，《德文新報》在戰爭期間的正文版面數量並沒有減少，反而有一定程

37 Mechthild Leutner. Deutsch-chinesische Beziehungen 1911-1927. Berlin: AkademieVerlag GmbH, 2006: 111.

度的增加。那麼，版面減少的部分是什麼？無疑，答案是商業信息和廣告。

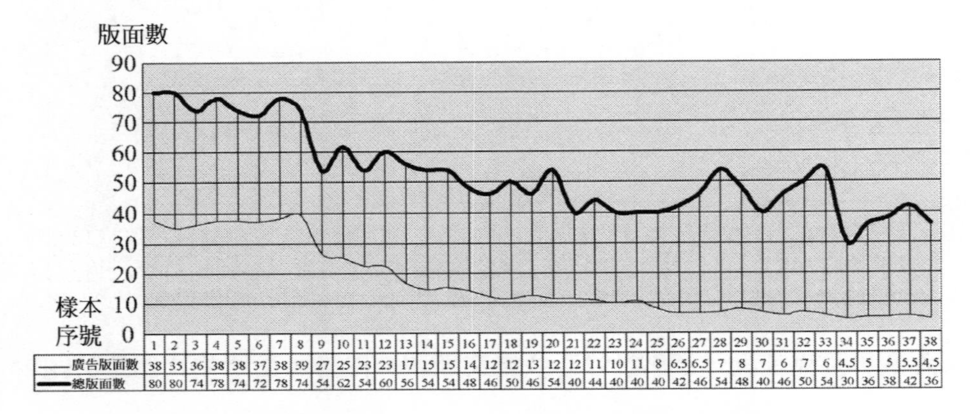


| 樣本序號 | 1 | 2 | 3 | 4 | 5 | 6 | 7 | 8 | 9 | 10 | 11 | 12 | 13 | 14 | 15 | 16 | 17 | 18 | 19 | 20 | 21 | 22 | 23 | 24 | 25 | 26 | 27 | 28 | 29 | 30 | 31 | 32 | 33 | 34 | 35 | 36 | 37 | 38 |
|---|---|---|---|---|---|---|---|---|---|---|---|---|---|---|---|---|---|---|---|---|---|---|---|---|---|---|---|---|---|---|---|---|---|---|---|---|---|---|
| 廣告版面數 | 38 | 35 | 36 | 38 | 38 | 37 | 38 | 39 | 27 | 25 | 23 | 23 | 17 | 15 | 15 | 14 | 12 | 12 | 13 | 12 | 12 | 11 | 10 | 11 | 8 | 6.5 | 6.5 | 7 | 8 | 7 | 6 | 7 | 6 | 4.5 | 5 | 5 | 5.5 | 4.5 |
| 總版面數 | 80 | 80 | 74 | 78 | 74 | 72 | 78 | 74 | 54 | 62 | 54 | 60 | 56 | 54 | 54 | 48 | 46 | 50 | 46 | 54 | 40 | 44 | 40 | 40 | 40 | 42 | 46 | 54 | 48 | 40 | 46 | 50 | 54 | 30 | 36 | 38 | 42 | 36 |

**圖九　大戰時期（1914-1917）《德文新報》廣告版面數及總版面數走勢圖**

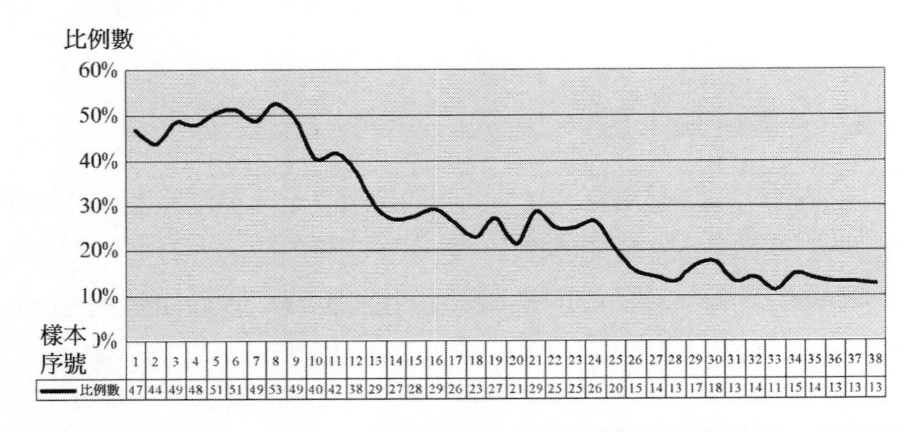


| 樣本序號 | 1 | 2 | 3 | 4 | 5 | 6 | 7 | 8 | 9 | 10 | 11 | 12 | 13 | 14 | 15 | 16 | 17 | 18 | 19 | 20 | 21 | 22 | 23 | 24 | 25 | 26 | 27 | 28 | 29 | 30 | 31 | 32 | 33 | 34 | 35 | 36 | 37 | 38 |
|---|---|---|---|---|---|---|---|---|---|---|---|---|---|---|---|---|---|---|---|---|---|---|---|---|---|---|---|---|---|---|---|---|---|---|---|---|---|---|
| 比例數 | 47 | 44 | 49 | 48 | 51 | 51 | 49 | 53 | 49 | 40 | 42 | 38 | 29 | 27 | 28 | 29 | 26 | 23 | 27 | 21 | 29 | 25 | 25 | 26 | 20 | 15 | 14 | 13 | 17 | 18 | 13 | 14 | 11 | 15 | 14 | 13 | 13 | 13 |

**圖十　大戰時期（1914-1917）《德文新報》廣告版面所佔比例走勢圖**

一九一四年大戰開始之後，《德文新報》中的廣告版面篇幅可以用「驟降」來描述。無論是版面數量（如圖九所示）還是廣告占總版面的比例數（如圖十所示），均呈現了相似的下滑趨勢。在《德文新報》臨近停刊的最後階段，總版面數降回到了那瓦勒的時代。到一九一七年三月時，除了封面和封底的四版，內頁中已經鮮有專門的廣告版面[38]，也就是說，一直在該報佔據第一位置的商業信息和廣告專版部分被取消了，只是在正文部分或《商業通訊》副刊版面允許的條件下才能見到被安排在末尾處的一整版若干商業廣告，只是這種機會並不是每期都會有。《德文新報》在上海出版近三十年，大戰之前一直處於擴版的上陞狀態，發行遠至東亞、南亞，甚至歐洲、北美地區，在遠東德國僑民、僑商的生活中佔有重要位置。然而，戰爭卻使得該報用十五年時間發展起來的商業信息和廣告部分黯然消退，而這樣的滑落僅僅用了一年。[39]大戰之前，德國商人在華開設的商行等多達兩百九十六家，戰後則只剩兩家還在營業。[40]戰爭的爆發，尤其是中國從大戰伊始宣佈中立，到一九一七年被迫對德宣戰，導致了德國商貿公司從中國陸續撤出，德國僑商紛紛回國，中德之間的貿易往來逐漸減少。這就可以解釋為什麼我們看到這樣的景象：戰爭吞噬了《德文新報》商業信息和廣告的版面。換個角度講，即使從來沒有讀到過中德貿易的這段歷史，從德文新報的廣告變化中，也可以合理推測出其中一二。

38 從一九一七年三月到最後《德文新報》停刊，只有一九一七年四月二十七日（第三十一年十七期）和一九一七年七月六日（第三十一年二十七期）分別出現了兩版信息廣告，位置及形式與原來的第一部分一致。其中，一九一七年七月六日（第三十一年二十七期）的該部分實際只有一版廣告，第二版刊載的是一九一七年在上海的德國僑民統計資料。

39 從圖九中的資料可以看出，樣本十二（一九一四年十二月三十一日，第二十八年五十二期）與樣本十三（一九一五年一月八日，第二十九年一期）之間出現了明顯的分水嶺：樣本十二的廣告版面數已經降到那瓦勒末期的水準，從樣本十三開始，《德文新報》的廣告版面數再也沒能出現上陞的趨勢。

40 柯偉林撰，陳謙平、陳紅民、武菁、申曉雲譯、錢乘旦校：《德國與中華民國》（南京市：江蘇人民出版社，2006年），頁25。

當然，就這段時期的中德貿易歷史而言，單單靠數算和比較《德文新報》廣告版面數量的變化，能獲知信息的實在有限。許多吸引人的內容，都隱藏在被塵封的廣告之中。究竟是什麼力量在支撐著該報廣告部分的不斷擴版？「遠東地區德國人利益之音」這一宗旨確實被信守至終嗎？

## 二　《德文新報》廣告內容分類介紹

從主要發行地區來看，《德文新報》以遠東地區德國僑商為主要服務對象。隨著德僑在當地（尤其是上海）活動的發展，其刊載廣告的內容也隨之變化。更確切地說：中德之間貿易的繁榮，德僑（尤其是德商）數量的增加等因素，為《德文新報》帶來了更多的廣告來源，大致可分為以下幾類：

### （一）商業貿易廣告

《德文新報》創刊的初衷就是為方便德國僑商掌握商業信息，其中主要包括航運公司、銀行、其它金融機構、保險（主要是航運保險）、貿易公司在華辦事處等。

此類廣告主要用於傳播信息或公示公告，以文字為主，標題以較大字型大小表明船運公司名稱（如東亞勞埃德公司，Ostasiatischen Lloyd）、銀行名號（如德華銀行，Deutsch-Asiatische Bank）。對航運船期廣告而言，如版面允許，則在標題之上添加統一航運輪船圖示，正文則以簡明文字敘述航運時間、地點等詳細信息。銀行布告通常將信息以簡單清單形式呈現，清晰了然。而布告專欄（BEKANNTMACHUNG.）通常較多刊載新註冊公司的基本信息，以示通告。[41]

以上幾類廣告信息最主要特點是形式固定統一，用語清晰簡潔。以一八九七年六月四日第一版首條的船運信息為例：

> **東亞勞埃德德國皇家郵政航線**
>
> P. Wettin 船長指揮、載郵件、旅客及貨幣的「普魯士號」航船，將於一八九七年六月十七日（星期四）駛離上海港，中途停靠香港、新加坡、可倫坡（斯里蘭卡）[42]、亞丁（葉門）、蘇伊士、塞得港（埃及）、那不勒斯、熱那亞、南安普敦及安特衛普，最後抵達不來梅。
>
> 中途停靠港口均可卸貨，此外，的裏雅斯特（意大利）、威尼斯、利沃諾（意大利）、馬賽、漢堡、倫敦、紐約、波羅的海及俄羅斯主要港口均可提供航運服務。
>
> 所有客戶須於六月十六日（星期三）中午十二點之前辦理相關手續。詳細信息敬請參閱美最時（Melchers）公司代理處公告。
>
> 美最時公司代理處[43]

美最時公司是十九世紀末二十世紀初在華規模最大、最重要的德國貿易商行。公司創建人赫爾曼．美最時（Hermann Melchers）一八六六年在香港建立自己的商行，一八七七年在上海設立分行。起初從事進出口業務及近海航運，但因英國蒸汽船競爭激烈，便只得集中力

41 布告專欄（BEKANNTMACHUNG.）的出現並非始於《德文新報》，因為德商進入中國的時間遠早於《德文新報》的創刊時間。此項內容在該報創刊之前，通常以德文刊載在《字林西報》頭版中，以廣而告之。在《德文新報》創刊後，該內容依然不定期地在《字林西報》上出現，是為商業經營之必要。

42 各城市後括弧內的所在國家名為筆者注，原文無此內容。

43 Der Ostasiatische Lloyd. 4. Juni 1897, S.11-17.

量從事前者。像其它商行一樣，美最時還擔任著那些未在遠東設立自己派出機構的德國大企業的代理人。[44]其它著名的德商公司如禪臣（Siemssen）、瑞記（Arnhold）、禮和（Carlowitz）等，他們與美最時一樣，每期都會佔據船運信息中的一席之地。根據記載，一八九五至一八九六年間，德國對華海運的數量，僅次於英國而名列第二；德國在中國建立的商行數，也列第二；德華銀行建立之前，中國不存在除英資以外的其它外資銀行。[45]在船運佔據交通運輸重要地位的十九世紀晚期，穩定的船運服務搭載著德國在華商業發展的希望。

一八七一年德國完成統一後，其在華利益仍維持在較小規模上，因為英國控制了中德貿易的海運。一八八五年，俾斯麥出於國內選舉的政治需要，使國會通過了一項對蒸汽船補貼的議案，次年，北德意志勞埃德公司（Norddeutscher Lloyd）開始直接對華通航，而這一年，也正是《德文新報》在滬創刊之時。同樣是在一八八五年，為評估對華投資的可能性，德國的銀行與工業研究考察團首次訪問了中國。代表團的一項成果是一八九〇年建立的德華銀行和亞洲業務合夥組織，它們標誌著德國大銀行與工業界的合作。[46]因此，商業貿易類信息或廣告總能佔據每期《德文新報》的前兩個版面，是有著充分理由的。

## （二）工業產品廣告

第二次工業革命帶來的是後起工業國家的強盛，而德國就是其中之一。德國工業中最具優勢和代表性的是各類機械產品，這在《德文

44 柯偉林撰，陳謙平、陳紅民、武菁、申曉雲譯，錢乘旦校：《德國與中華民國》（南京市：江蘇人民出版社，2006年），頁13。

45 柯偉林撰，陳謙平、陳紅民、武菁、申曉雲譯，錢乘旦校：《德國與中華民國》（南京市：江蘇人民出版社，2006年），頁8。

46 柯偉林撰，陳謙平、陳紅民、武菁、申曉雲譯，錢乘旦校：《德國與中華民國》（南京市：江蘇人民出版社，2006年），頁8。

**圖十一 《德文新報》機械廣告**

新報》的「德國出口工業」廣告專欄中表現得非常明顯。此類產品以工業用機械為最多，如鑄造鍛壓機械、鋼鐵模具、印刷機及造紙切紙類機械、木工機械、蒸汽鍋爐、傳動皮帶、電機設備等，不同品牌的同類產品在同一版面內並存無妨，而且呈現數量不斷增長的趨勢。競爭促使廣告不能停留在僅僅以文字而示之的水準，因而幾乎每篇此類機械廣告都經過仔細設計，文字從字體形式到字型大小大小，甚至字體粗細的選擇都有特別講究，以便於引起注意。同時，在文字說明的合適位置配有精緻圖示，使產品能夠以更直觀、形象的方式呈現出來。與同一時期其它報刊廣告中的產品圖示相比，《德文新報》的德國機械產品廣告圖示品質均屬上乘。事實上，當時此類廣告的品質與德國機械製造的精良水準及其在全世界的地位恰好吻合。

對中德關係史進行專門研究的學者做了如下的敘述：第一次世界大戰之前的數年中，德國工業界不滿「舊式對華商行」壟斷行為的呼聲越來越高。有跡象顯示，中國將成為某些工業產品的重要市場。例如，一九一〇至一九一三年間，銷往中國的德國染料從占德國出口總額的百分之十上升到百分之四十，到一九一三年，中國購買了德國電氣工業出口產品的百分之三十。[47]其實，《德文新報》中的廣告早自一八九六年起就顯示了此種跡象。在一八九六年八月七日（第十年四十四期）的「德國出口工業」專欄中，首次出現了含有中文字樣「自來火製造機器」的廣告，除中間部分以德文作以說明之外，左右兩側分別有英文和法文的介紹。[48]就廣告語言來看，在此之前，便有某些機械類工業產品的廣告以英文和德文雙語刊載，例如，弗裏德・克虜伯・格魯松機械公司（Fried Krupp GrusonWerk）在一八九六年二月七日（第十年十九期）所刊登的廣告為英文，而在此之前，該公司呈現的廣告都為德文。[49]廣告語言的逐漸豐富，與德國對華工業品貿易狀況呈現了正比例相關。

學者王光祈在其撰稿中曾提及《德文新報》，認為這份用德文出版的周刊對在華德僑「通消息」非常重要，但「在中國社會方面可謂毫不發生效力」，「僅有少數高等政治機關選譯一二，以備參考」。[50]關於《德文新報》的讀者中是否包括中國人，這些人的身份如何，數量如何等問題尚需進一步求證，但從王光祈的記述中至少可以肯定，該報在中國政治機關中是起到作用的。可是，難道這份在中國存在了數十年的報刊給中國社會帶來的僅僅是政府機關對其政治言論上的「選譯」和「備用」嗎？

一八九七年八月六日（第十一年四十四期）《德文新報》最後一版的中間位置，一篇醒目的中文告白以近似於行楷的書法印刷體呈現出來：

---

47 柯偉林撰，陳謙平、陳紅民、武菁、申曉雲譯，錢乘旦校：《德國與中華民國》（南京市：江蘇人民出版社，2006年），頁13。

48 Der Ostasiatische Lloyd. 7. August 1896, S.10-59.

49 Der Ostasiatische Lloyd. 7. Februar 1896, S. 458. 自此之後，該公司廣告常以德文英文輪流刊載。

50 王光祈：〈王光祈旅德存稿〉，《民國叢書》（上海市：中華書局，1936年，上海書店影印本），第五編－75，頁266。

本公司於一千八百五十四年開設在德國來卜吉地方附近之愛林堡專售製造瓦石各樣機器茲將名目列下

一製造各色碎石鑲花三合土瓦片機器器具此等機器器具所制各件顏色明淨保無出格

一製造各樣灰石及三合土瓦片機器此等機器或以手運或以帶扯無不旋轉如意所制各色刻花三合土瓦片各色灰石及各樣材質石塊靡不精華悅目

一燥物自行機器此等機器專燥初制泥磁各石三日後便可入窖

一捶瓦棹此棹專為製造屋頂磚瓦之用

一製磚瓦機器

一泥球機磨

一滲和各樣材料機器

一制三和土瓦筒機器

以上各樣機器等件經本公司竭力盡善四十年來精益求精迭經國家給具執照在案諸公照顧請認明本公司可也

邊哈德爾聶公司告白[51]

一八九七年八月至十月期間，該告白幾乎每期必然出現。如果《德文新報》之於中國僅僅是選譯言論的作用，那這則廣告使用中文為何故？只是體現在華德文報刊的中國元素嗎？晚清政府專門制定了引進西方發達國家的裝備產品的對外貿易政策，在中國機器製造尚處於起步的時期，這種引進對於中國工業的發展是必要且有意義的。[52]晚清政府的大臣、要員們對德國的好感從來不曾間斷，從洋務運動初期的

51 Der Ostasiatische Lloyd. 6. August 1897, S. 14-40.

52 朱英：《晚清經濟政策與改革措施》（武漢市：華中師範大學出版社，1996年），頁91。

軍事練兵到後來的工業化引進，德國始終扮演了重要的角色。[53]面對英美各國在中國市場的激烈競爭，德國人當然不會錯過任何一個可能增加好感與拉近關係的機會，況且，一戰期間，德國報刊所進行的宣傳活動足以證明利用報刊進行宣傳正是他們所擅長的。即使當時能通德語的中國人並不多，但與德國對華貿易息息相關的中國買辦卻可以作為打破語言障礙的橋樑，甚至使得不通德語的中國人也有可能看到《德文新報》上的廣告。那麼，如上述一種中文告白，無疑會拉近一種友好的關係，促成更多的合作。

自一八九六年十月《德文新報》創刊第十一個年頭起，原本單調的「德國出口工業」專欄中，工業用機械產品不再獨自起舞，縫紉機、自行車、打字機等家用機械產品使得略顯嚴肅的機械產品廣告變得生動活潑起來，黑白配圖更加充滿生活氣息，整個版面賞心悅目。例如，一八九七年三月十九日（第十一年二十四期）中出現了三個不同品牌的縫紉機廣告，另有留聲機、照相機等生活小機械與其交相輝映。當 Pfaff-Nähmaschinen（縫紉機）的廣告中出現了「潘甫縫衣機器設於一千八百六十二年此機材料極好縫衣最靈各國交相購買」[54]的中文廣告詞時，筆者不禁對於《德文新報》在中國社會的影響更加好奇起來：僅從廣告中的眾多跡象來看，論斷該報在中國社會影響不大，未免偏頗。如上述「潘甫縫衣機器」這樣帶有中文介紹的廣告，限於篇幅，無法一一列舉，可以由此推斷的是，那個時候，縫紉機、自行車、照相機等新式產品不僅存在於在華外國人的居所，更多的則進入了中國人的生活中。事實上的確如此，有學者參照當時《申報》記錄說，「到一八七四年時，縫紉機在上海已經出售了數百臺。人們

53 柯偉林撰，陳謙平、陳紅民、武菁、申曉雲譯，錢乘旦校：《德國與中華民國》（南京市：江蘇人民出版社，2006年），頁9。

54 Der Ostasiatische Lloyd. 13. Juli 1906，封二。彼時中文未有標點符號標示。

在街上的成衣鋪裏，可以看到裁縫師傅腳踏縫紉機，機輪轉動、運針如飛地縫製衣服的情景。」[55]而必須承認，在新舊交替的世紀中，《德文新報》的廣告也開始將一種帶著新式味道的近代中國生活圖景展現出來。那麼，這種新式的生活對於依然處在封建統治下的中國而言，除了會動的機械，還有什麼呢？

## （三）生活文化廣告

上海公共租界德人居住區內弗裏特・朗格曼（Fritz Langermann）醫生是每周必然在《德文新報》廣告中出現的角色，從簡單的就醫信息到後來的新藥介紹及衛生保健知識，廣告不再僅僅是一種商業宣傳：單從這方面來講，廣告還承擔著知識介紹的角色。這在今天的廣告學教程裏沿襲了下來：廣告不僅可以促銷有形的商品，還可以幫助銀行家、美容師、自行車修理鋪等促銷他們的無形服務，越來越多的人利用廣告來宣導各種經濟、政治、宗教和社會觀念。[56]在今天依然在行之有效地實踐著的廣告效用，《德文新報》在百餘年前已經做到了。

當然，德國商人並非只傾心於工業機械產品的生意。食用澱粉、麵包、各類罐頭、調味料、純淨水、煙酒甚至霜淇淋、巧克力等食品加工和經銷商進入上海，開啟了《德文新報》食用商品廣告的紀元。雙立人（ZWILLING）刀具[57]及其它廚房用品也相繼出現在廣告版面中，除了用作對華銷售，這些產品與在華德僑的生活同樣緊密相關。

---

55 李長莉：《晚清上海社會的變遷——生活與倫理的近代化》（天津市：天津人民出版社，2002年），頁82。

56 威廉・阿倫斯、大衛・夏爾菲撰，丁俊傑、程坪、沈樂譯：《阿倫斯廣告學》（北京市：中國人民大學出版社，2008年），頁5。

57 一七三一年六月十三日，時值西曆雙子星座，雙立人標誌在德國萊茵河畔索林根小鎮的一間教堂內公告誕生，這是人類歷史上最古老的商標之一，因為當時還不存在商標局。

十九世紀末二十世紀初，德商經手的煙酒類貿易發展迅速，此類廣告在《德文新報》中的數量一直呈上陞趨勢。德國博爾夏特（F. W. BORCHARDT）餐飲是這一行業的佼佼者，這家企業在一八五三年創始之初只是柏林一家普通的酒類、食品商店。[58]一八九八年九月五日（第十二年四十八期）《德文新報》的最後一版刊載的是博爾夏特公司的整版廣告，酒類批發是這家企業當時對遠東地區的主要貿易專案。事實上，像博爾夏特這樣從事煙酒貿易的公司在那一時期的《德文新報》中有數十家之多，他們之中大多都有著一個共同的特性：來自德國。

伴隨生活必需品而來的，還有書刊雜誌的訂閱廣告，包括家庭類雜誌以及音樂、教育等專業門類。而《德文新報》編輯部則成為德僑社區書籍期刊銷售的主要場所之一，當然，該報也絕不會吝惜版面為相關書籍銷售刊載廣告，即使是布洛克豪斯百科全書（Brockhaus Conversations-Lexicon）第十三版十七卷本全套這樣的大型書籍也能買得到，價格為五十元。一八九七年首期報刊中出現「書展」文藝專欄[59]，則與文化類廣告共同構建起在華德僑的文化生活。與之密切相關的文具類產品廣告也逐步跟進，德國著名文具品牌輝柏嘉（Faber 拟 Castell）[60]、施德樓（STAEDTLER）等，在百餘年前的《德文新報》上就已經出現了。

芬克接任《德文新報》主編之後，第一部分的廣告中，各個洋行的為自己各類產品目錄所刊載的專門廣告數量越來越多，而不是像過

---

58 F. W. BORCHARDT 餐飲今日所在的地址是柏林法蘭西大街四十七號（Französischen Straβe 47, Berlin）；在《德文新報》刊登廣告時，F. W. BORCHARDT 的地址是柏林法蘭西大街四十八號（FranzösischenStraβe 48, Berlin）。

59 Der Ostasiatische Lloyd. 8. Januar 1897, S.513.

60 一七六一年，輝柏嘉創始人 Kaspar Faber 在他的小作坊裏生產了世界上第一支鉛筆，至今已有近兩百五十年的歷史，在行業內有「鉛筆貴族」之譽。

去那樣，專門為某一產品廣而告之，洋行的名字只能出現在最末尾處。德商瑞記洋行（Arnhold, Karberg & Co.）、禮和洋行（Carlowitz & Co.）所代理的產品涉及工業、日用品等多個類別。許多德國以外的產品藉此也在《德文新報》的廣告中佔有了一席之地：懷錶、珠寶、眼鏡、香水、女士化妝品等，數不勝數。順應那個時代洋行銷售策略的趨勢，有實力的商家都會在諸如耶誕節等重要假日前期推出特賣活動，並在報刊中登載專門廣告作以宣傳。[61]芬克主編時期的《德文新報》也出現了這樣的假日酬賓廣告，在十一～十二月間的廣告版面數量往往較平日有所增加，這樣的節日廣告專版有時多達八版。[62]

旅館、餐館的廣告在十九世紀末的《德文新報》上是看不到的。自從歷史邁進二十世紀的大門，芬克接手並對該刊進行改擴，此類廣告便成了每期的必有內容，而且，廣告對象即旅館、餐館並不局限於上海一地，主要城市還涉及青島、天津和香港等。隨著時間的推移，同類廣告也越來越多。以一九〇一年為例，每期旅館廣告的數量都在十個以上，對於奔忙於各地從事交易的德商來說，這當然是必不可少的信息。按照《上海新聞志》中的說法，主編芬克接手後，將該報的發行擴大至青島、漢口及天津等地。[63]雖然青島於一八九七年成為德國在華租借地，武漢、天津境內在同一時期也存在德國租界，並且德

61 Wellington K. K. Chan. Selling Goods and Promoting a New Commercial Culture: the Four Premier Department Stores on Nanjing Road, 1917-1937. // Edited by Sherman Cochran. Inventing Nanjing Road: Commercial Culture in Shanghai, 1900-1945. New York: East Asia Program Cornell University, 1999: 22。此處係作者在文中所闡述的二十世紀初的情況。

62 為使得抽樣分析更接近真實地反映一段時期內《德文新報》廣告版面數變化的趨勢，筆者在抽樣時部分地避開了某些節日廣告擴版的樣本，以免影響分析。在此作以說明。

63 賈樹枚主編，《上海新聞志》編纂委員會編：《上海新聞志》（上海市：上海社會科學院出版社，2000年），頁142。

國人在當地都曾創辦發行德文及中文報刊[64]，但是，至於上海《德文新報》的發行是否真的遠及上述兩地，仍待進一步查考。[65]不過，二十世紀初期《德文新報》中以重磅分量出現的不同城市及地區的食宿廣告，直接體現了各地間商貿往來的頻繁。所以，關於《德文新報》的發行範圍遠及青島天津一說，在沒有切實記錄的前提下，依此廣告現象進行推測，也可以得到某種程度的肯定。

私人刊登啟事在一八九七年逐漸增多，逐漸成為廣告部分的重要內容。或是預告嬰兒降生，或是宣告婚禮消息，或是求職招聘，抑或是初入上海的年輕商人為自己做的個人宣傳……德僑生活的另一些細節也在這裏體現出來。為方便僑民，《德文新報》自一九〇一年四月起，不定期專闢一個版面作為求職招聘的專版。作為「遠東地區德國人利益之音」，《德文新報》廣告部分的重要意義不僅僅在於商業貿易，也滲透在德僑的生活之中。

《德文新報》的廣告長期呈現著為德國產品宣傳服務的傾向，有力地支持著德國在華貿易的發展。關於「德國出口工業」的專欄消失的原因，可以推斷，應當是德國商人們在《德文新報》中所展現的貿易產品種類越來越廣泛的必然結果。從十九世紀末開始，德商對遠東地區的貿易已經遠遠超出了「工業」的領域。[66]對一份報刊而言，成功的廣告刊佈與專業且有效的廣告經營是分不開的。在《德文新報》中，「本刊廣告均由代理人全權受理」[67]這句話曾經一度是封面出版發

64 當時德國人在青島創辦發行的最主要報刊為德文《膠澳官報》，在天津的德商則創辦發行了《時報》。

65 據筆者調查，青島檔案館目前所存檔案中，只有《德文新報》的部分剪報，並無報刊原件。在芬克主編時期，《德文新報》的報頭處有該報發行至青島、天津、漢口、香港等地的信息，亦可作為佐證。

66 關於這一點，本文將在下一部分通過資料分析來展現。

67 Zur Entgegennahme von Anzeigen sind sämtliche gegenüber genannte Vertreterunseres

行信息中的一部分，加之本文前面提到的該報在德國設有專門的廣告代理處，這無一不透露出其在廣告方面的專業性。另外，廣告部也會在廣告專版中刊出相關信息，徵集廣告客戶的意見和建議，以求改進和完善。[68]

## 三　《德文新報》各類廣告的量化分析

### （一）那瓦勒主編時期（1896-1898）

第二次工業革命之後，德國的工業水準已經走在世界前列，但較之英國，一八七一年才完成統一的德意志帝國在對外貿易上尚顯稚嫩，在爭奪中國市場方面就更加無法與其抗衡，畢竟，早在半個世紀前，英國就已大舉進入中國市場。當德國人帶著統一後的喜悅趕來之時，中國對外貿易的每一個角落都已刻上了英國的痕跡。

商業貿易廣告份額少，生活文化類廣告也無優勢可言，二十世紀之前的德國商人似乎只懂得在中國市場上推銷他們過硬的工業機械產品，這就是那瓦勒時期的《德文新報》廣告帶我們的直觀印象（如圖十二所示）。從比例上來看，商貿公告與生活類廣告始終保持著此消彼長的關係，唯獨不能撼動的是工業品廣告的分量，半數以上的版面佔有量使得那一時期的《德文新報》廣告專版被冠以「德國出口工業」的專欄名稱（如圖十三所示）。

---

Blattes ermächtigt. Der Ostasiatische Lloyd. 5. Januar 1906, 封面發行信息。本信息自當年八月不再出現。

68 Bei Einkäufen bitten wir den Anzeigenteil unseres Blatteszu Rate ziehen und gefälligst darauf Bezug nehmen zu wollen. Der Ostasiatische Lloyd. 12. Januar 1912。本信息在一九一二至一九一三年不定期在《德文新報》出現，刊載位置亦不固定。

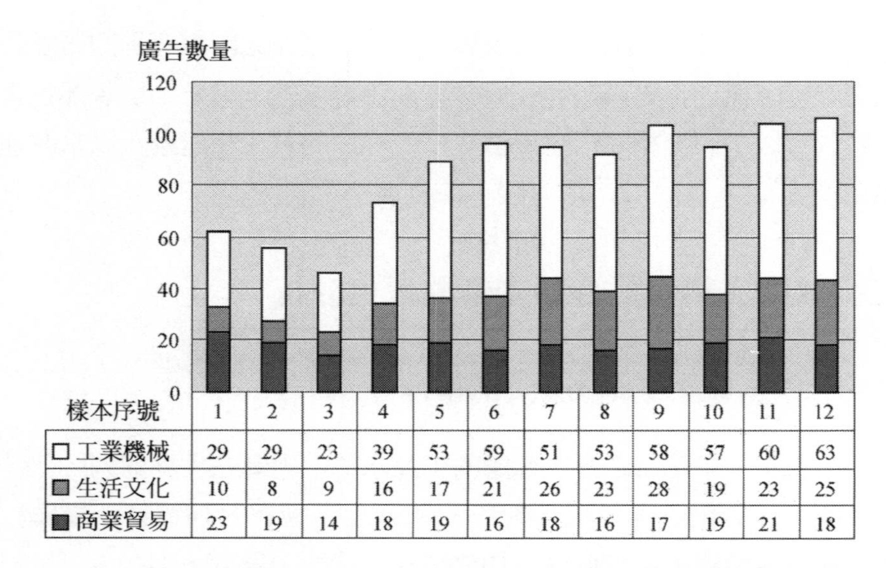


| 樣本序號 | 1 | 2 | 3 | 4 | 5 | 6 | 7 | 8 | 9 | 10 | 11 | 12 |
|---|---|---|---|---|---|---|---|---|---|---|---|---|
| □工業機械 | 29 | 29 | 23 | 39 | 53 | 59 | 51 | 53 | 58 | 57 | 60 | 63 |
| ■生活文化 | 10 | 8 | 9 | 16 | 17 | 21 | 26 | 23 | 28 | 19 | 23 | 25 |
| ■商業貿易 | 23 | 19 | 14 | 18 | 19 | 16 | 18 | 16 | 17 | 19 | 21 | 18 |

**圖十二　那瓦勒時期（1896-1898）《德文新報》各類廣告數量變化圖**

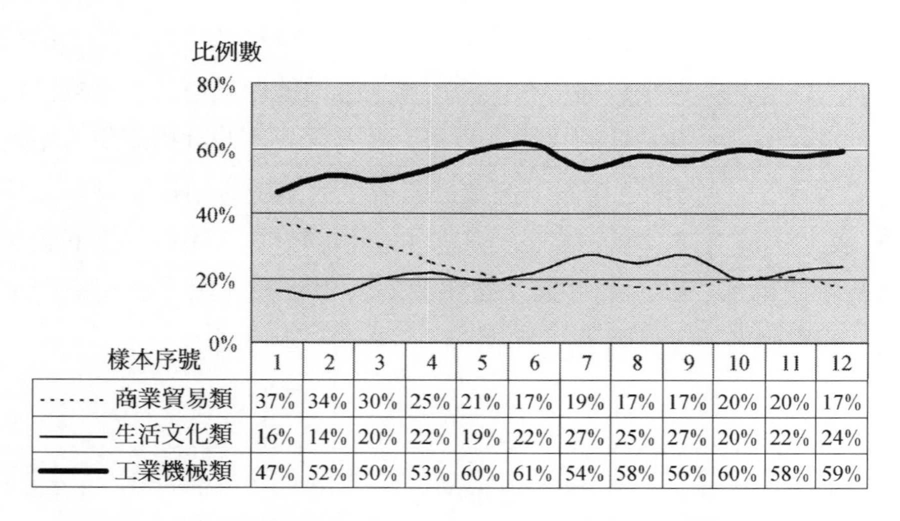


| 樣本序號 | 1 | 2 | 3 | 4 | 5 | 6 | 7 | 8 | 9 | 10 | 11 | 12 |
|---|---|---|---|---|---|---|---|---|---|---|---|---|
| ------ 商業貿易類 | 37% | 34% | 30% | 25% | 21% | 17% | 19% | 17% | 17% | 20% | 20% | 17% |
| —— 生活文化類 | 16% | 14% | 20% | 22% | 19% | 22% | 27% | 25% | 27% | 20% | 22% | 24% |
| ▬▬ 工業機械類 | 47% | 52% | 50% | 53% | 60% | 61% | 54% | 58% | 56% | 60% | 58% | 59% |

**圖十三　那瓦勒時期（1896-1898）《德文新報》各類廣告所佔比例變化圖**

十九世紀末的中國，帶著已有的對德國人的好感和崇敬[69]，在軍事和工業上與德國建立了特殊的友好關係，為英美等國所不可及。德國的工業產品成了晚清中國工業初創的範式模型。對德國人來說，工業產品在這個時期所擔當的角色卻在三十年後起到了更加重要的作用：二十世紀二〇年代，經歷了大戰後的德國重新打開中國市場，靠的正是「工業外交」[70]這張牌。

一方面是工業品在中國市場的蒸蒸日上，另一方面，貿易和其它日用產品卻不見起色：這兩類廣告雖然佔據了《德文新報》廣告數量的近半壁江山，但出現的總是熟悉的「面孔」，幾家有實力的大公司及其產品「肆意地」佔據著有限的版面。更確切地說，如果他們不佔據，這些版面恐怕要「開天窗」——那時候的在華德商尚處在「探路」階段，工業品生意是最有保障的。因而，能進入中國市場的其它德國產品並不多見，能安心在中國市場上靠從事其它行業來謀生、甚至淘金的德國人就更少了。

## （二）芬克主編前期（1899-1913）

芬克接任《德文新報》主編之後，廣告部分更加規範清晰，然而，「德國出口工業」專欄已不復存在也發生在這個時候。對於曾經支撐著德國對華貿易和《德文新報》廣告的工業產品，芬克何以作出將其取消的舉動？

《德文新報》在芬克時代設立了專門的廣告部，有專人負責編輯

69 晚清重臣李鴻章、張之洞等在中國近代化改革中，都對德國的工業和軍事水準給予了肯定，並仿傚學習。這同樣影響了中國近代史上的另一個重要人物袁世凱。

70 柯偉林撰，陳謙平、陳紅民、武菁、申曉雲譯，錢乘旦校：《德國與中華民國》（南京市：江蘇人民出版社，2006年），頁64。

部承接各類廣告的事務。[71]可以確定的是，為德國對外貿易發展服務的《德文新報》並沒有對各類商品的廣告接受比例有所規定，從編輯部公開刊載的刊物宗旨中可以知道，只要是德國的，就是《德文新報》所支持的。那麼，資料分析可以在一定程度上揭開內中原因。

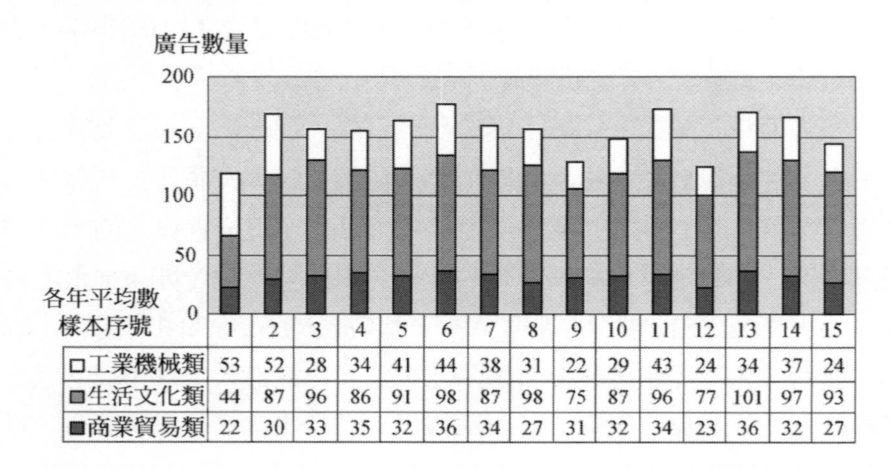


| 各年平均數 樣本序號 | 1 | 2 | 3 | 4 | 5 | 6 | 7 | 8 | 9 | 10 | 11 | 12 | 13 | 14 | 15 |
|---|---|---|---|---|---|---|---|---|---|---|---|---|---|---|---|
| □工業機械類 | 53 | 52 | 28 | 34 | 41 | 44 | 38 | 31 | 22 | 29 | 43 | 24 | 34 | 37 | 24 |
| ■生活文化類 | 44 | 87 | 96 | 86 | 91 | 98 | 87 | 98 | 75 | 87 | 96 | 77 | 101 | 97 | 93 |
| ■商業貿易類 | 22 | 30 | 33 | 35 | 32 | 36 | 34 | 27 | 31 | 32 | 34 | 23 | 36 | 32 | 27 |

**圖十四　芬克前期（1899-1913）《德文新報》各類廣告數量變化圖**

一八九九至一九一三年這十五年時間裏，從數量上來講，商貿類廣告保持了原有的穩定姿態，另外兩大類廣告卻發生了較大變化：工業類廣告減少了，生活類廣告明顯增多（如圖十四所示）。德國商人以工業產品打開了中國的市場，進入二十世紀，更多的其它類產品相繼跟進。鴉片戰爭之後，中外交涉越來越多，從李鴻章主持中國第一批公派留學生出洋學習，到「請設上海廣方言館」[72]，接觸了洋事物的中國人也更容易接受洋貨的到來，這在無形中也影響著更多的中國人。另一方面，德國商人在中國逐漸站穩腳跟，〈辛丑合約〉為德國獲得

---

71 即本文前面論述的每周四中午十二點為《德文新報》每期廣告業務承接的截止時間。廣告部負責人先後由 Finger，König 等人擔任。

72 雷頤：《李鴻章與晚清四十年》（太原市：山西人民出版社，2008年），頁167。

了更有利的在華特權，越來越多的德國人來到中國，在中國有了相對穩定的生活。成立於一八六六年的上海德國總會（Concordia Club）最早「會址係租借一個名叫潑洛勃斯脫（Probst）的房子，在福州路南，福建路和山東路之間」，「自建新屋的計劃本來在一八九六年的會員大會上就已經提出」，但因經濟原因，直到一九〇四年才動工建造，總會大廈於一九〇七年二月四日落成。[73]諸多的史實都可以解釋為什麼《德文新報》的廣告內容在二十世紀最初十年發生了上述的變化：德隆牛肉莊（Schlachterei W. Fütterer）、WILCK & MIELENHAUSEN 專業男裝商店等生活類廣告都是在這一時期出現的。

毫無疑問，生活類產品逐漸搶佔了工業產品在《德文新報》廣告中的地盤。從內容上來看，這一時期的工業產品廣告一直有更新，只是相同產品出現的頻率降低了。因為生活類產品的廣告內容比工業產品更為廣泛：衣食住行、文化娛樂、求醫問藥、求職招聘等，諸多日常生活所需使這類廣告取代原有的工業產品成為《德文新報》廣告的主角：不但佔據了該報第一部分的大部分版面，而且在原有的工業廣告專版中也佔有相當比重，在整個《德文新報》廣告中的總佔有率達到百分之五十至百分之六十，並且持續到大戰爆發（如圖十五所示）。在這樣的情況下，原先的廣告專版自然不能再冠以「德國出口工業」之名。

73 上海通社：《上海研究資料》（上海市：中華書局有限公司，1936年），頁379-442。

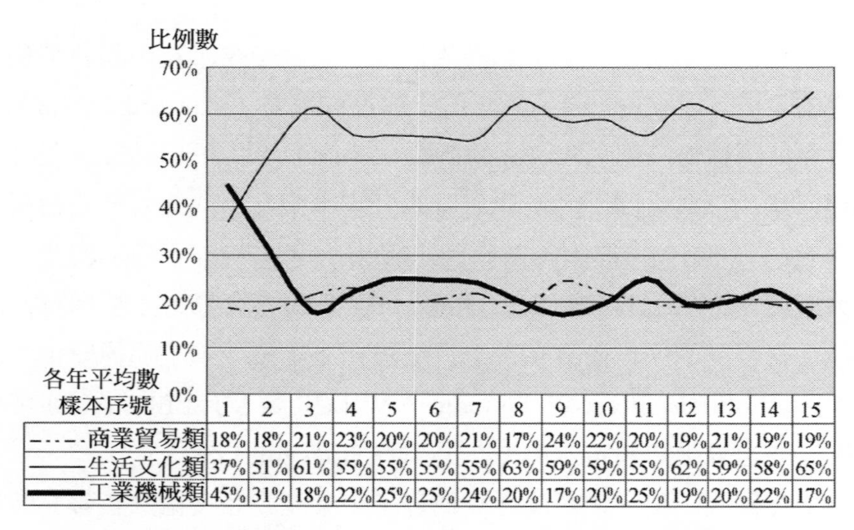


| 樣本序號 | 1 | 2 | 3 | 4 | 5 | 6 | 7 | 8 | 9 | 10 | 11 | 12 | 13 | 14 | 15 |
|---|---|---|---|---|---|---|---|---|---|---|---|---|---|---|---|
| 商業貿易類 | 18% | 18% | 21% | 23% | 20% | 20% | 21% | 17% | 24% | 22% | 20% | 19% | 21% | 19% | 19% |
| 生活文化類 | 37% | 51% | 61% | 55% | 55% | 55% | 55% | 63% | 59% | 59% | 55% | 62% | 59% | 58% | 65% |
| 工業機械類 | 45% | 31% | 18% | 22% | 25% | 25% | 24% | 20% | 17% | 20% | 25% | 19% | 20% | 22% | 17% |

**圖十五　芬克前期（1899-1913）《德文新報》各類廣告所佔比例變化圖**

## （三）大戰時期（1914-1917）

大戰爆發為《德文新報》帶來的最大改變就是廣告數量的直線下降。工業品，尤其是軍工產品是戰爭的必需；食品、紡織品、燃料及其它日用品也是必要的戰爭物資。[74]德國商人更願意支持祖國的戰鬥，這是德國戰爭宣傳的成功之處。隨著戰爭愈加激烈，工業產品的廣告在《德文新報》中出現得越來越少，幾近消失；生活和貿易類的廣告主也僅存幾家有實力者（如圖十六所示）。德國商人紛紛撤資回國，帶走了工業產品，也使得生活類產品的需求隨之下降。在《德文新報》停刊前的最後階段，正是東亞勞埃德公司、德意志銀行、瑞記洋行等在支撐著屬於廣告的版面，同時，他們也在支撐著僅存的德國對華貿易。

74 哈樂德·D·拉斯維爾撰，張潔、田青譯，展江校：《世界大戰中的宣傳技巧》（北京市：中國人民大學出版社，2003年），頁22。

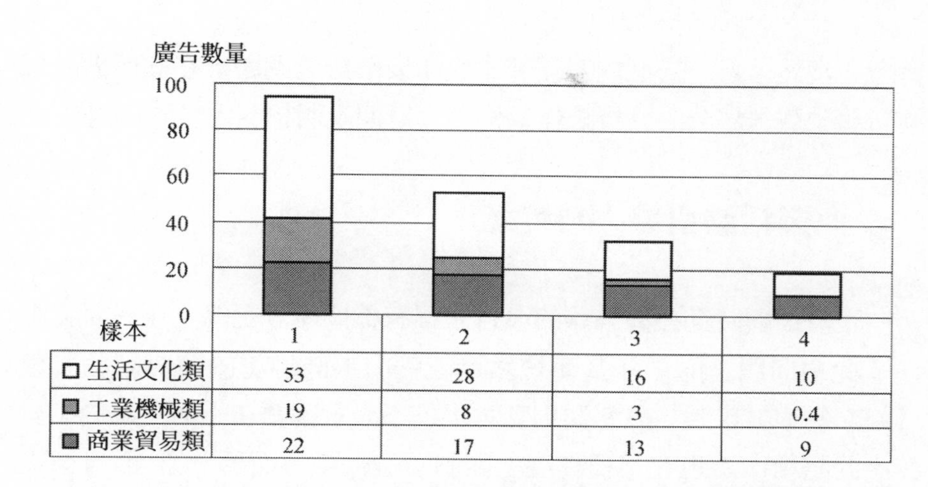


| 樣本 | 1 | 2 | 3 | 4 |
|---|---|---|---|---|
| □ 生活文化類 | 53 | 28 | 16 | 10 |
| ■ 工業機械類 | 19 | 8 | 3 | 0.4 |
| ■ 商業貿易類 | 22 | 17 | 13 | 9 |

**圖十六　大戰時期（1914-1917）《德文新報》各類廣告數量變化圖**

大戰造就了德國戰爭宣傳的成功，但也帶走了報刊中的廣告，這與戰爭帶走了德國對華貿易並非巧合。《德文新報》的廣告版面不是留給商人，單純地換取廣告費用，而是留給德國商人，留給德國的對外貿易。

## 第五節　《德文新報》廣告<br>——中德貿易關係的晴雨錶

雷麥在寫作《外人在華投資》的「德國在華投資」部分時，開篇便提到一九一四年大戰前德國在華投資的可用資料相對較少，致使某些估算的數位找不到證據來確認。[75]商業信息報導和商業廣告自始至終都是《德文新報》整個刊物中的重要部分，雖然並不像官方資料那般確鑿，但是，通過有效的統計，這些材料至少可以作為相關研究的

75 雷麥著，蔣學楷、趙康節譯：《外人在華投資》（北京市：商務印書館，1959年），頁477-478。

參考。當然，這一方面內容並非本文所要解決的問題，在此僅借《德文新報》廣告部分的分析來作為例證，以期說明相關內容的可用性。

## 一　商業活動引導人口變遷

晚清民國時期在滬外報的發行量鮮有檔案統計記錄，現有研究中涉及此項問題之處，多為籠統敘述或轉引不詳出處的模糊結論。就《德文新報》來說，該報為周刊，規模不大，德語在上海又屬於相對較小的語種，這也在某種程度上限制了發行量。而另一方面，《德文新報》發刊的目的就在於為遠東地區德國人的利益服務，這又在一定程度上對受眾群作了限制。在那一時期，在華德國僑民數量相對較少，以商人為主，流動性較大，因而報刊的發行量不易確定。

單方面根據在滬德國社群人口數量的統計來推斷發行量，難以得出較為可信的結論。但《德文新報》廣告刊載的變化與德國社群人口的密切相關性，至少能幫助我們從中推測出該報發行量的大致趨勢。根據統計，一八八〇年之前，德國在滬人數穩定在一百五十人左右[76]，自此之後開始穩步增長。根據另一份在華德國企業和德國人（1875-1928）統計資料，一八七五至一八八五年之間，在華德國企業數量在五十至六十家之間上下浮動。[77]越來越多的德國商人看好中國市場，

76 據統計，上海公共租界德國人口概況如下：一八六五年，一百七十五人；一八七〇年，一百三十八人；一八七六年，一百二十九人；一八八〇年，一百五十九人。鄒振環：〈清末的國際移民及其在近代上海文化建構中的作用〉，《復旦學報（社會科學版）》1997年第3期，頁49-55。

77 據統計，在華德國企業資料如下：一八七五年，五十二家；一八八〇年，六十五家；一八八五年，五十七家。Chen Chi：《1933年前的中德關係》（漢堡市：亞洲學院，1973年），頁321-323。轉引自熊月之等：《上海的外國人》（上海市：上海古籍出版社，2003年），頁264。

但在企業發展上卻難有大的突破。正是在這種情況之下，一八八六年，《德文新報》在滬創刊。一八九五年到一九〇〇年是上海德國僑民人數增長速度最快的五年[78]，更為重要的是，自《德文新報》創刊到一戰爆發之前，德國在華企業數量便一直向上攀升。[79]根據本文前述，也正是從一八九六年下半年開始，《德文新報》中的工業產品廣告無論是數量上還是品種上都迅速增多，德國商人們在華貿易活動的順利發展為其穩定的生活提供著基本保障。由前文統計資料來看，進入二十世紀，生活類產品廣告呈現迅速增長趨勢，同時也頻繁地出現私人廣告，不難看出，在華貿易的發展帶來了德國僑民的穩定生活，這使得他們在生活上的需求日漸豐富，也就是說，生活用品廣告的增多實際上是工業產品廣告增長之後的必然產物。既然有所需求，那麼在此趨勢之下，報刊的發行量很有可能同樣是呈上陞趨勢的。畢竟，德商駐滬的目的是為尋求經濟利益，只有其商業活動發展順利，他們才有可能在上海長期停留。我們可以從其它資料中獲取這一結論[80]，而《德文新報》刊載廣告的發展變化又恰好印證了這一點。

---

78 據統計，上海公共租界德國人口概況如下：一八九五年，三百一十四人；一九〇〇年，五百二十五人；一九〇五年，七百八十五人；一九一〇年，八百一十一人。鄒振環：〈清末的國際移民及其在近代上海文化建構中的作用〉，《復旦學報（社會科學版）》1997年第3期，頁49-55。

79 據統計，在華德國企業資料如下：一八九〇年，八十家；一八九七年，一百〇四家；一九〇〇年，一百二十家；一九〇五年，一百九十七家；一九一〇年，兩百三十八家；一九一三年，兩百九十六家。Chen Chi：《1933年前的中德關係》（漢堡市：亞洲學院，1973年），頁321-323。轉引自熊月之等：《上海的外國人》（上海市：上海古籍出版社，2003年），頁264。

80 學者雷麥在論述近代德國在華投資問題時，這樣總結一九一四年之前的情況：「從一九〇〇年以來德國在華投資的各表中，我們發現一個顯著的事實，那就是世界大戰對於德國地位的影響。在一九〇四年至一九一四年間，德國在華的投資，仍照常增加。」雷麥著，蔣學楷、趙康節譯：《外人在華投資》（北京市：商務印書館，1959年），頁488。

## 二　貿易保護

第二次工業革命的到來，對老牌資本主義強國形成挑戰，對新興的後起之秀而言則充滿了機遇。西方各國為保持優勢並謀求新的發展進行著激烈競爭，各國對其本國經濟的保護政策隨處可見，在當時，各種適時、適當的保護對經濟的進一步發展的確起到了積極的作用，德國便是一例。

雖然，德國僑民在上海公共租界的人數非常有限，但其在中國的商業影響力卻絲毫不遜色於老牌強國英美和同時崛起並更具地理接近性的日本，這與俾斯麥政府的對外政策緊密相關。德國殖民協會曾提議要求通過海外擴張殖民地用作德國向外移民的居住地點，但遭到這位「鐵血宰相」的反對，他認為，只能為德國貿易開闢基地，以便為貿易活動提供保護。在與歐洲及其它強國的商人進行海外競爭時，德國商人需要這樣的保護。[81]

在古老傳統與近代文明相遇的上海租界，十里洋場彙集了世界各地不同種族、不同民族的文明與制度，處處體現著某種程度上的「國際性」。對於報刊廣告這種首先與經濟利益相聯繫的商業活動，這一特徵表現得更為明顯。在《德文新報》上，幾乎所有的產品廣告、商業信息都是直接與德國或德國人相關的。這一方面體現了德國企業的經濟實力，另一方面也著實讓我們感受到這份德文商業周刊將「遠東地區德國人利益之音」這一宗旨貫穿在所有版面的每一個角落，而不會為了單純的盈利而刊載廣告。在同時期的英文《字林西報》（North China Daily News）中，不難找到「Allianz」（德國安聯保險）等帶有

81 迪特爾·拉甫：《德意志史——從古老帝國到第二共和國（中文版）》（波恩市：Inter Nationes，1987年），頁178。

德國氣息的字樣，但是在《德文新報》的廣告版面中，每一個角落都透著德國的氣息。雖然，在芬克的時代，諸如 P. O'Brien Twigg 等帶有中文說明「英美普濟藥房在虹口百老匯路十號」的廣告已經顯出了《德文新報》超越德國的跡象，但是，在《德文新報》的出版歷史中，廣告部分中體現出的德國因素壓倒性優勢分外明顯。自一九一三年七月四日（第二十七年二十七期）開始，報頭處關於該報在德國本土廣告唯一代理處的信息[82]不再出現。如果說一九一四年的大戰是在華德商紛紛撤資回國的原因，那麼，一九一三年發生了什麼呢？事實上，一九一四年大戰最初的根源就在於一九一三年的兩次巴爾幹戰爭，而德國正參與其中[83]，從那個時候起，火藥味已經開始擴散。可以推斷，德商對遠東地區貿易的收縮不是從一九一四年才開始的，由於《德文新報》與德國本土聯繫密切，因而這一切的跡象都不自覺地在廣告中顯現了出來。

在十九世紀末二十世紀初的英美新聞實踐活動中，新聞報導應當客觀、公正、公平逐漸成為默認原則。這正是在英美報刊已普遍能夠從廣告及發行收入獲得利潤以獨立自主的前提下才得以實現的。[84]那麼不難推斷，英美報刊對於廣告對象的選擇也必然是「開放式」的，不分國界的。《德文新報》中鮮有其它國家廣告的現象，可能與各國商家認為該報發行量、影響力有限相關，但無論如何，其它國家的產品廣告沒有理由放棄能接觸到該報的各國商人、中國買辦等，當時居

82 即報頭處原有的"Alleinige Annahme von Inseraten in Deutschland: Berlin SW., Lindenstr. 47."

83 相關資料參見 Klaus Hildebrand. Das vergangene Reich: Deutsche Auβenpolitik von Bismarck bis Hitler. Berlin: UllsteinBuchverlage GmbH & Co. KG, 1999: 329-351.

84 Jean K. Chalaby. Journalism as an Anglo-American invention. European Journal of Communication 11 (3), 1996: 303326.// Howard Tumber. Journalism Volume I. London: Routledge, 2008：96-115.

住在上海的德國人這個群體也是各類商家不該遺漏的對象，這樣的推斷是不違反廣告經營規律的。因而，《德文新報》中德國廣告一邊倒的現象的確是有貿易保護、維護本國利益的因素在起作用。從《德文新報》中刊載廣告帶有明顯的民族工業保護這一情況來看，彼時德國報業還並未趕上英美的發展程度，尤其是在上海租界這一特殊的環境中，緊鄰滿載英美傳統的各類報刊，依然能堅持為本國利益服務，一方面，可以窺見德國報業傳統的相對穩固性，另一方面，這一併不完全順應報業發展大趨勢的做法，很難用對錯優劣來評價，畢竟，這樣的商業保護行為的確為那一時期德國工商業的發展鑄造了具有保護和促進作用的防禦壁壘。有學者已經提出，近代上海工業領域中最值得進一步研究的是第一次世界大戰前德商的投資狀況，據美國經濟學家雷麥的說法，由於種種原因，德國的中國問題研究者及德國海外事業研究者都未曾估計過德國企業在彼時的投資，因此，至今仍只有模糊的估算。[85]該學者在論述中還依照相關資料列舉了醫藥、絲織、蛋品加工等德商在滬參與的工業投資內容陳正書.租界與近代上海工業的三大支柱——從上海近代工業的崛起與發展考察租界的歷史影響，所提及之各項，在《德文新報》的廣告中均有實例證明。

第一次世界大戰爆發後，中國於一九一七年對德宣戰，中德關係暫時破裂，發行近三十一年之久的《德文新報》於八月十七日畫上了句號。對於十九世紀末二十世紀初的德國在華貿易而言，《德文新報》所刊載的商業信息及廣告類內容是一段真實而有力的見證，但願以此為切入點，為中國近代外報的討論，為德國在華投資等學界研究空白提供可行的思路和補充。

---

85 陳正書：《租界與近代上海工業的三大支柱——從上海近代工業的崛起與發展考察租界的歷史影響》，馬長林主編：《租界裏的上海》（上海市：上海社會科學院出版社，2003年），頁20。

# 第六章
# 德國報業傳統的展現
## ——《德文新報》非戰時內容分析

繼前文論述，從數量上來看，《德文新報》廣告部分在一九一四年大戰爆發前後的情況迥然不同；從內容方面講，廣告部分雖然僅僅是這份報刊用以維持發行的盈利版面，卻也能從廣告內容中透露出其隱含的傾向性。以上兩點不禁令人對該報正文部分在大戰前後的情況產生興趣。這份以「遠東地區德國人利益之音」為辦報宗旨的刊物，是否在其正文中將這一承諾兌現了呢？

更進一步考慮，十九世紀末二十世紀初，正是德國本土報業經歷關鍵變革的時期，《德文新報》，這份跨越亞歐大陸來到遙遠東方的德國報刊，怎樣將一種陌生的文字和報業實踐理念種在了中國的土地上，並逐漸散播到遠東乃至更遠的世界各地。它堅守了德國報業的傳統嗎？又或者，在多樣化報業傳統和理念交集的上海十里洋場，它也隨之改變了嗎？

綜觀《德文新報》的發展變化，一九一四年世界大戰爆發可以看作是該報歷史中的分水嶺，一八九九年芬克接手《德文新報》後進行的改革遠不及大戰帶來的改變明顯。戰爭在這其中究竟扮演了怎樣的角色？因此，後文中對《德文新報》正文部分的分析將分為大戰前和大戰期間兩部分。本章將呈現《德文新報》大戰前的正文部分分析。

# 第一節　《德文新報》正文版面的數量分析（1896-1913）

在前一章對廣告部分的版面數統計中，《德文新報》不同時期的副刊，如商業副刊、膠州消息、上海消息等的版面數都被計算在內。由於這些副刊在一定時期內的版面數相對比較固定，因而對其它部分內容版面數量所佔比例的計算及分析結論並不會產生決定性影響。由此看來，廣告部分版面數量變化的博弈對象就只能是正文部分。廣告部分的版面資料分析不僅是對《德文新報》廣告量的呈現，同時也能在一定程度上反應正文的變化。退一步講，至少可以引起對該報正文部分版面數量變化的思考。下文將對一八九六年至一九一三年間《德文新報》正文部分的版面數量變化做出資料展示，以此直觀體現正文部分的變化。[1]根據《德文新報》本身的發展變化情況，下文的分析將分為那瓦勒主編時期和芬克主編前期兩部分。

## 一　那瓦勒時期（1896-1898）

根據重新抽樣獲得的統計結果進行觀察（如圖六所示），那瓦勒

1 樣本及資料統計說明：本章所有抽樣按照第四章抽樣方法的原則重新劃定相對合理的樣本數。根據 Analyzing Media Messages: Using Quantitative Content Analysis in Research 一書中對於周刊抽樣的介紹，採取抽籤法，每月抽取一個樣本。（Daniel Riffe, Stephen Lacy, Frederick Fico. Analyzing Media Messages: Using Quantitative Content Analysis in Research. Mahwah: Lawrence Erlbaum Associates, Inc., 2005：112-115.）依據研究需要及原件保存情況，部分樣本進行重新抽樣，部分取用第四章樣本，版面數包含副刊，並同樣對副刊內容進行分類劃分，只用於針對本章問題進行分析，資料與其它章節有高度一致性，但由於報刊本身各類內容版面劃分併不以一版為單位，即一版內可能存在兩類內容，手動資料測定存在出入和誤差，同一期樣本資料可能不完全相同，特此說明。下一章同樣如此，並將不作重複說明。

任職主編後期的《德文新報》正文部分保持了十五版左右的穩定性，直至其卸任時，正文版面數量沒有大的起伏變化。另一方面，根據第四章版面內容設置的介紹情況來看，那瓦勒主編後期的正文部分的確已經形成了《德文新報》的「那瓦勒模式」。

由樣本計算出的正文部分版面數均值為十四點四六版，總版面數的樣本均值為三十七點一四版。在此，借用第五章圖六所得比例數的平均數值（廣告平均版面數十六點六一版，總版面數三十六點八版）進行相互驗證，總版面數平均值存在零點五三版的出入，廣告部分與正文部分平均版面數相加為三十一點〇七版，剩餘的版面數約為五至六版，恰好與第四章中介紹的那瓦勒主編時期兩個副刊版面為四加二等於六版相吻合。

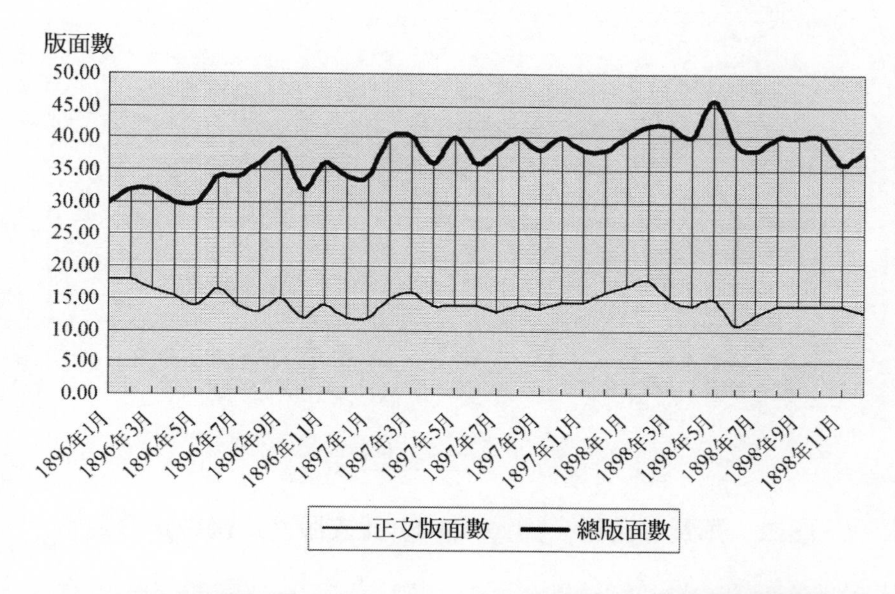


**圖一　那瓦勒時期（1896-1898）正文版面數與總版面數走勢圖**

另一方面，從正文所佔比例數情況來看（如圖二所示），正文部分在一八九六年下滑趨勢較為明顯[2]，之後基本穩定在百分之三十至百分之四十之間。正如前一章所述，這一時期的《德文新報》總版面數量與廣告版面數量均呈現了穩中有升的趨勢，對於正文部分而言，雖然在數量方面遜色於廣告這一事實略顯尷尬，但是，其自身的穩定卻又這意味著《德文新報》在通過增加廣告獲取生存資金的現實面前，採取了增加版面的方式，而沒有選擇壓縮正文部分。報刊的本職乃是為讀者提供信息，因而，正文部分畢竟是一份報刊的靈魂，其穩定與否把持著報刊的生命權。在生存面前，作為主編的那瓦勒保持了一份報刊應有的尊嚴。

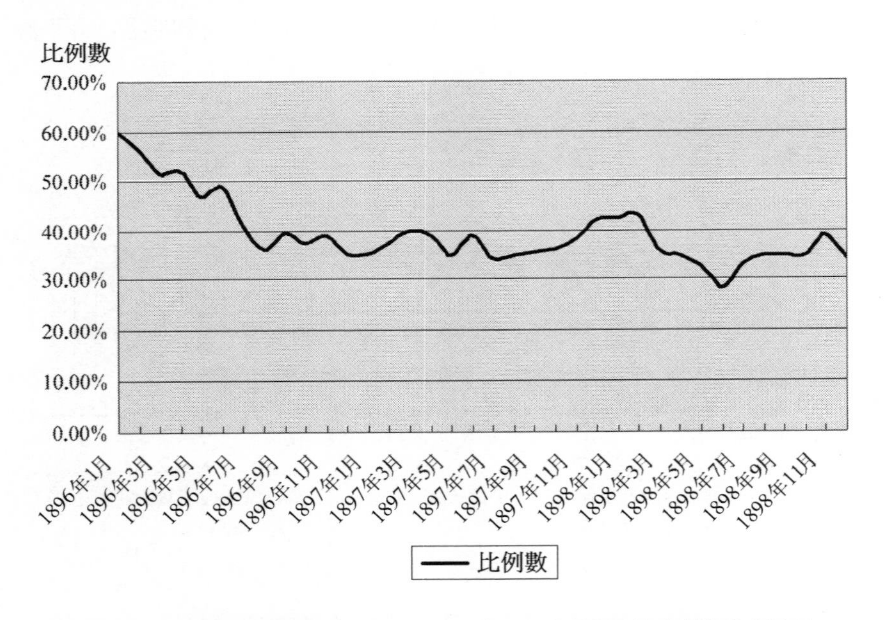


**圖二　那瓦勒時期（1896-1898）正文版面比例數走勢圖**

2　圖二與圖五的曲線基本呈現相反的狀態，可作為資料可信性的相互印證。

## 二　芬克前期（1899-1913）

一八九九年《德文新報》內部改革，芬克接任主編一職之後，該報的發展狀況呈現了明顯的上陞趨勢。單從版面總數來說，一八九九年前後為四十版左右，而到這一時期的最後階段，總版面數已逐漸穩定在七十版以上，增長幅度將近一倍。根據前一章對廣告部分的論述可知，這一時期的廣告版面數是逐漸增加的。那正文部分情況如何呢？圖三中表明，正文版面數量同樣穩中有升，從樣本所反映的情況來看，這一時期首尾之間的正文版面數量的差距已經達到十版，即芬克接任主編時，正文部分為二十版左右，到一戰爆發前，這一數字已經上陞到三十版。

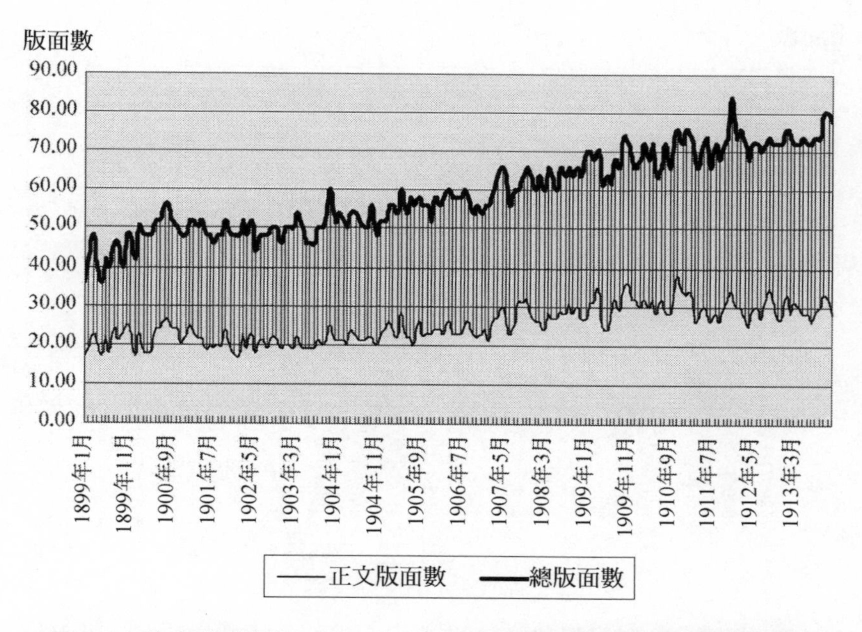


圖三　芬克前期（1899-1913）正文版面數與總版面數走勢

在謀求報刊生存與發展所必需的資金支持這一現實面前，報刊通常會選擇增加刊載廣告的數量這一途徑。作為《德文新報》的主編，那瓦勒和芬克都面臨著這一問題。那瓦勒通過增加總版面數來擴展廣告所需版面，沒有觸動屬於正文的領地，保持了其原有的版面空間。芬克同樣採取了這一做法。然而，與那瓦勒不同的細節是，芬克為正文部分保持的不是版面數量，而是正文部分占總版面數的比例。圖四中清晰地顯示了芬克主編前期正文版面數占總版面數比例的發展趨勢：自一八九九年至一九一三年的十五年間，正文部分始終佔據了《德文新報》百分之四十至百分之五十的比例。換句話說，如果總版面數逐漸增加是可以肯定的前提，那麼比例保持穩定便意味著版面數的穩定增長。

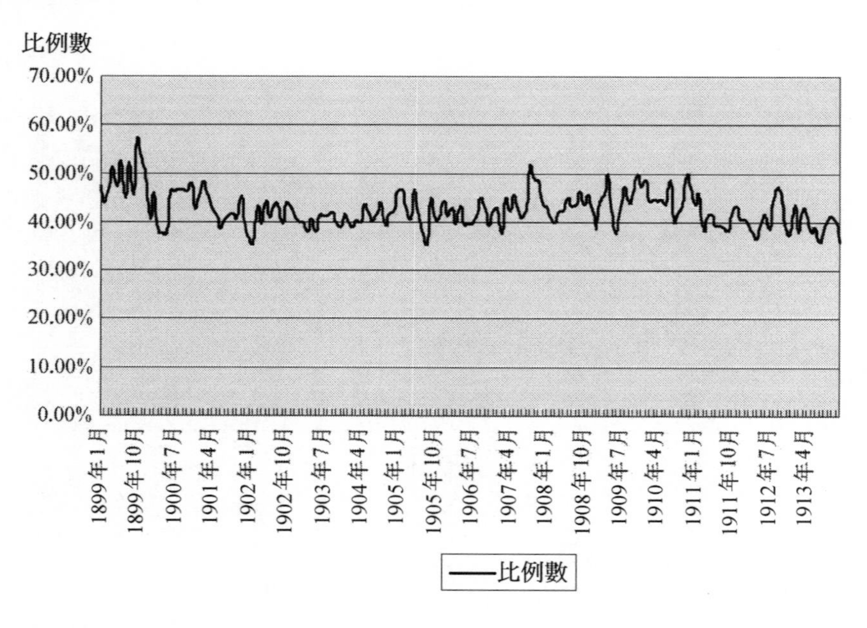


**圖四　芬克前期（1899-1913）正文版面比例數走勢圖**

根據前文所述，一八九九年改革之後的《德文新報》在新聞業務的各個方面都向前邁進了一大步。很明顯，新聞業務的實踐成果便是正文的報導內容。報導內容的數量增加了，自然又可以印證其新聞業務的進步。總而言之，經歷了初期若干年坎坷歷程的《德文新報》，終於迎來了「順風的航行」。[3]

《德文新報》正文版面數量的發展變化僅僅是一個引子。前文已經提到，對於這份小語種客報在諸多近代在華外報中的角色、地位和分量等因素，各種闡述中意見不一。那麼，只有通過內容分析來揭開其中的秘密。

## 第二節　《德文新報》報導內容的定量分析（1896-1913）

自十九世紀中期大眾化報刊逐漸在報業發達的英美國家中佔據主導地位至今，客觀、公正的報導原則逐漸成為全世界各國報界所宣導的主流觀念。然而，當一份報刊面臨或是生存或是盈利的財政問題時，一種不自覺的傾向性也就出現了。[4]這種傾向性似乎成了行業內默許的現象：報業主們面對受眾標榜著客觀、公正，背對受眾巧妙地偏向閃著利益光亮的某個方向。由於這種偏向是如此隱蔽，不為一般受眾所察覺，因此，傾向性研究就成了大眾傳媒研究中的一項重要內容，這一研究又往往通過分析傳媒的報導內容來實現。

---

3　「此時，《德文新報》終於迎來了順風的航行，越過暗礁駛入廣闊的大海」，主編芬克在《德文新報》二十五週年紀念文章中如是說。Der Ostasiatische Lloyd. 6. Januar 1911, S.1.

4　美國新聞自由委員會在一九四七年出版的重要報告〈一個自由而負責的新聞界〉中，從大眾傳播機構業主的角度對這一問題做了闡述。The Commission on Freedom. A Free and Responsible Press. Chicago: The University of Chicago Press, 1947: 59-62.

## 一　研究概述

與一般大眾傳播媒介研究不同的是，由於處在特定的報業發展階段和特定的報業傳統之下，本文的研究對象《德文新報》有其特殊性。十九世紀後期到二十世紀初期的德國報業，正處於威權的統治之下，在國家利益和愛國主義至上的空氣中，新聞自由難以自由呼吸。而在新聞業務實踐方面，報業人員固守新聞寫作偏於解釋性文章、報刊廣告依賴廣告代理機構等傳統，同樣使得德國報業的發展程度與英美國家的距離漸漸拉開。當《德文新報》帶著這樣的傳統跨越亞歐大陸在近代中國生根發芽，在各國報刊雲集的舊上海十里洋場，它會堅守傳統，還是會脫胎換骨？

前文反覆提及《德文新報》是以「遠東地區德國人利益之音」為辦報宗旨的德國在華報刊，這就直接地表明瞭該報的報導偏向性。或許，正是這樣明瞭的態度，才使得《德文新報》為眾人留下了「喉舌」的刻板印象。甚為遺憾的是，對《德文新報》這樣的印象又似乎被進一步概念化了，使其成為不帶有客觀態度的「宣傳機關」[5]，但是，對於這些結論，學界卻從未給出確實的論據。很明顯地，「喉舌」和「宣傳機關」這兩個論斷是包含了偏於消極的感情色彩的，這樣的詞彙頻繁見於各種描述近代在華外報的語句中。[6]那麼，在「遠東地區德國人利益之音」這一辦報宗旨之下，《德文新報》究竟呈現了怎樣的內容呢？客觀公正的報導，不痛不癢的溫吞水，還是歇斯底里的傳聲筒？它真的都在實踐著自己所宣揚的宗旨嗎？

---

5　方漢奇主編：《中國新聞事業通史》（北京市：中國人民大學出版社，1992年），卷1，頁215。

6　《北華捷報》、《中法新彙報》等外報都曾被冠之以「喉舌」、「宣傳機關」之稱。張偉：《滬瀆舊影》（上海市：上海辭書出版社，2002年），頁68。陳昌鳳：《中國新聞傳播史：媒介社會學的視角》（北京市：北京大學出版社，2007年），頁193。

對此，筆者在閱讀《德文新報》原件的前提下，對一八九六年至一九一三年間的刊物作出初步總結歸納，繼而借用定量研究的方法，在現存原件中抽取樣本，按照相應的研究方法綜合歸類，分析《德文新報》的報導內容，以期通過資料的展現在一定程度上回答前文的問題。在資料分析的基礎上，進一步對其報導內容進行解讀，以求儘量客觀地揭示《德文新報》的本來面目。

根據現有關於《德文新報》的論述，預先作出以下假設：

第一，在報導內容的選擇上，《德文新報》偏於德國因素，其主要報導明顯側重於與德國及遠東地區德國僑民有關的新聞，是典型的德國在華機關報。

第二，在報導的論述傾向方面，《德文新報》刊載的文章明顯呈現出褒揚本國、掩飾本國錯誤或弱點、批評他國的態度。

## 二　《德文新報》報導概況（1896-1913）

綜觀《德文新報》發展歷程，一八九六年至一九一三年間，該報獲得了充分的自由發展空間。然而，本文第二章中已經說明的問題是，在十九世紀後期到二十世紀初期的德國報業與英美報業在發展階段和報業理念上都是有著巨大差異的。從十九世紀中期開始，英美報業宣導客觀、中立、公平、公正的趨勢越發明顯，這正是得益於電報技術和通訊社的建立。例如，美聯社（the Associated Press）所提供的與官方消息存在顯著不同的消息之所以獲得成功，正是新聞的「客觀性」被美國新聞界廣泛接受的結果。[7]遺憾的是，十九世紀後期的德國新聞業與美國的情況恰好相反。[8]在英美新聞業佔據彼時報業發

7　Michael Schudson. Discovering the News. New York: Basic Books, Inc., 1978: 4.

8　本書第二章已作介紹。

展主流的趨勢下，在各國外報雲集的十里洋場，在英美國家以日刊取勝的競爭局面中，以德文出版的《德文新報》會是怎樣的狀態呢，是延續著德國報業的傳統，還是已經在不知不覺中被英美化了？這是很容易令人產生的疑問。

根據第四章對《德文新報》版面欄目設置的介紹來看，該報的欄目劃分清晰，內容包含了從最新時事消息，到政治、經濟、文化等各個方面，頗為豐富。除此之外，有歷史文獻這樣認為：「在中國的德國人機關報《德文新報》容許相差很大的見解發表出來，並且還轉載從其它報刊意見互相分歧的文章。[9]它在對評論整個東亞地區和預斷世界政治時，一般來說是慎重的。同幾乎所有的德國報刊相反，它從開始就對中國人表示同情（這是可以理解的），它很早就贊成列強進行干涉反對日本。」[10]

一邊是對「遠東地區德國人利益之音」這一辦報宗旨的字面解析，另一邊是史料中對《德文新報》內容充滿包容性的溢美之詞，加之現有新聞史中的各種評價，在這樣的情況下，如何來驗證前面提出的兩個假設呢？

## 三　研究方法

### （一）內容分析和取樣

根據筆者對該報原件的閱讀及其它相關資料的瞭解，對《德文新報》的正文內容分析較為適當的方法是對各類內容的文章進行出現頻率描述。但是，一個關於該報的現實問題是：每期刊物刊載的文章都

9　本句意為「並且還從其它報刊轉載意見互相分歧的文章」，引文為中文譯本原文。

10 H·哥爾維策爾：《黃禍論》（北京市：商務印書館，1964年），頁173。

包含多類欄目及各種條目的內容，這些欄目及各類內容之間在一段時期內會呈現出較為一致的比例。因而，若將整份刊物的各類文章綜合起來進行分析，實際上難以得出關於該報刊載內容偏向性的實際結論。

《德文新報》始終遵從彼時德國報業傳統，每期必有編輯部社論。編輯部社論不會像其它專欄一樣有相對固定的報導內容，因而其內容的選擇雖然在一定程度上必然與某一時期的時事有關，更重要的是，這些報導體現著編輯部在內容選擇上的偏向性。尤其是，早在那瓦勒主編《德文新報》時期，編輯部就已經明確說明：作為周刊的《德文新報》雖然不具備日刊的時效性優勢，但卻能甄選一周新聞大事作以評述，發揮深度報導的特長。[11]因此，無論從報導內容還是寫作的措辭表達來看，《德文新報》每期的編輯部社論都是最能體現其報導偏向性並代表編輯部立場的部分。

綜上所述，本部分的分析對象為《德文新報》每期的頭條編輯部社論。[12]抽樣方法如下：首先將一年的刊物以每月為單位分層，每月四～五期刊物編號，以抽籤法每月抽取一個樣本。[13]按照 *Analyzing Media Messages: Using Quantitative Content Analysis in Research* 一書中對於周刊分析所採用抽樣方法的介紹，每月抽取一個樣本是適合進行研究的。[14]對於部分缺失的期號，則採取前後就近原則，同樣以抽籤法將樣本抽出。

11 Der Ostasiatische Lloyd. 2. Oktober 1896, S.68.

12 在那瓦勒主編時期，編輯部社論文章一般為每期一篇，到了芬克主編時期，編輯部社論的篇數開始增加到兩至三篇，甚至更多。但是，不難推測，放在首位的一定是最重要的。就本文的分析而言，頭條的社論應當是最有代表性的。

13 需要說明的是，本部分所獲取的樣本與第五章廣告部分及本章正文版面數分析所用樣本不一致。本文每一部分的分析都進行了重新抽樣，盡可能地擴大樣本的覆蓋率。

14 Daniel Riffe, Stephen Lacy, Frederick Fico. Analyzing Media Messages: Using Quantitative Content Analysis in Research. Mahwah: Lawrence Erlbaum Associates, Inc., 2005: 112-115.

## （二）變數

由於社論內容包羅萬象，根據研究需要，首先，將編輯部社論的內容總體歸類成包含地域範圍、涉及內容等的十個類別，分別為：中國相關、德國相關、其它國家、世界局勢、政治、經濟、文化、愛國主義、戰爭相關、軍事相關。其中，前四個變數代表著社論主題的發生地點或事件主體國家，其餘六個變數則是社論主題的具體內容。這類似於一個將社論內容概念化[15]的過程，上述十個類別也就成為研究的十個變數。這些變數基本可以涵蓋編輯部社論所涉及的內容。通過對各個變數在樣本中的出現頻率進行描述，就可以較為客觀的分析《德文新報》報導內容的偏向性。

## （三）主題

本部分的分析旨在通過對《德文新報》編輯部社論的內容分類測量，展現其內容分佈情況，以此分析該報在報導內容上的偏向性。在時間分期上，根據《德文新報》的發展歷程及特點，將一八九六年至一九一三年分為那瓦勒時期（1896-1898）與芬克前期（1899-1913），通過對比兩個時期每個變數在樣本中的出現頻率，展現不同主編時期的《德文新報》在報導內容方面的特點。報導內容的偏向性與許多因素有關，通過分類統計得出的資料有助於該部分的研究及進一步的分析立足於一個相對客觀的基礎之上。

## （四）處理方法

本部分借用的分析工具主要為 Microsoft Office Excel 和 SPSS

15 概念化是將模糊的、不精確的觀念（概念）明確化、精確化的思維過程。艾爾·芭比：《社會研究方法》（北京市：華夏出版社，2005年），頁120。

Statistics 17.0 兩種軟體。在資料登錄方面，樣本對變數有所體現的賦值為一，沒有體現的賦值為 0。數值大小本身沒有意義，只是有和無的指代。同時，這樣的賦值也是分析的需要，通過這樣的賦值，能夠得到「和」與「均值」這兩個參數，作為分析各個變數在樣本中出現頻率的參數。如果總和或均值較大，則說明該內容出現的頻率較高，即《德文新報》對該方面的內容較為側重。同類內容在各個時期出現頻率的變化也可以作為不同時期特點分析的參照。在地域方面的四個變數，即中國相關、德國相關、其它國家和世界局勢，可以通過出現頻率的情況揭示該報在報導範圍方面的偏向性。另外，分析所得的「眾數」這一參數，可以檢驗該類內容在樣本中的出現頻率是否超過百分之五十，這又可以在一個新的維度上展現該報報導內容的偏向性。

另外，需要作出說明的有兩點：第一，每個樣本中必然體現多個變數，因而所有變數在樣本中體現的總數並不等於樣本的數量。例如，一八九七年十二月三日第十二年十期頭條編輯部社論《中國危機》（Zur Krisis in China）的討論主題是巨野教案，因此，該樣本所能展現的就是中國相關、德國相關和政治這三方面內容。那麼，如果幾個變數的頻率百分比相加大於百分之百，則說明不同變數有時會同時出現在同一樣本中。第二，所採用的變數都是針對《德文新報》報導內容進行總結而得出的，各個變數之間都會有直接或間接的聯繫，在分析時以直接呈現的狀態為原則，不作進一步考察。例如，一九〇〇年七月二十日第十四年二十九期頭條編輯部社論《中國局勢》（Zur Lage in China），本文直接內容屬於政治問題的討論，但其中也涉及某些與經濟利益相關的問題，此處按照文章整體大意直接意思歸入「中國相關」和「政治」類中。

# 四　分析結果

根據論述需要，一八九六年至一九一三年那瓦勒和芬克主編時期的分析結果以表格和圖示的方式分列如下：

## （一）那瓦勒時期（1896-1898）

根據抽樣資料統計，分析情況如下：

表一中的分析資料列出了那瓦勒主編時期的各類內容頻率描述的相關參數。表二至表十一展現的是各個變數分別在樣本中出現的頻率資料。[16]圖五將表二至表十一中參數「是」的有效百分比作一整體比較。

表一　統計量

| | 中國相關 | 德國相關 | 其它國家 | 世界格局 | 政治 | 經濟 | 文化 | 愛國主義 | 戰爭相關 | 軍事相關 |
|---|---|---|---|---|---|---|---|---|---|---|
| N 有效 | 36 | 36 | 36 | 36 | 36 | 36 | 36 | 36 | 36 | 36 |
| 缺失 | 0 | 0 | 0 | 0 | 0 | 0 | 0 | 0 | 0 | 0 |
| 均值 | .78 | .25 | .08 | .00 | .33 | .19 | .39 | .08 | .00 | .00 |
| 眾數 | 1 | 0 | 0 | 0 | 0 | 0 | 0 | 0 | 0 | 0 |
| 和 | 28 | 9 | 3 | 0 | 12 | 7 | 14 | 3 | 0 | 0 |

16 根據論述需要，表二至表十一的具體分析結果僅在那瓦勒時期作一展現。後文其它時期的分析將採用相同的處理方法，各變數頻率分析的具體表格將不再展現。關於各變數的有效出現頻次可參見每一時期統計量表格（例如，那瓦勒時期的表一）的「和」參數；關於各變數在所有樣本中出現頻率百分比的有效資料則會以圖五的形式展現出來，也可參照統計量表格中的「均值」參數。

表二　中國相關

| | 頻率 | 百分比 | 有效百分比 | 累積百分比 |
|---|---|---|---|---|
| 有效否 | 8 | 22.2 | 22.2 | 22.2 |
| 是 | 28 | 77.8 | 77.8 | 100.0 |
| 合計 | 36 | 100.0 | 100.0 | |

表三　德國相關

| | 頻率 | 百分比 | 有效百分比 | 累積百分比 |
|---|---|---|---|---|
| 有效否 | 27 | 75.0 | 75.0 | 75.0 |
| 是 | 9 | 25.0 | 25.0 | 100.0 |
| 合計 | 36 | 00.0 | 1 | 100.0 |

表四　其它國家

| | 頻率 | 百分比 | 有效百分比 | 累積百分比 |
|---|---|---|---|---|
| 有效否 | 33 | 91.7 | 91.7 | 91.7 |
| 是 | 3 | 8.3 | 8.3 | 100.0 |
| 合計 | 36 | 100.0 | 100.0 | |

表五　世界格局

| | 頻率 | 百分比 | 有效百分比 | 累積百分比 |
|---|---|---|---|---|
| 有效否 | 36 | 100.0 | 100.0 | 100.0 |

表六　政治

| | 頻率 | 百分比 | 有效百分比 | 累積百分比 |
|---|---|---|---|---|
| 有效否 | 24 | 66.7 | 66.7 | 66.7 |
| 是 | 12 | 33.3 | 33.3 | 100.0 |
| 合計 | 36 | 100.0 | 100.0 | |

表七　經濟

| | 頻率 | 百分比 | 有效百分比 | 累積百分比 |
|---|---|---|---|---|
| 有效否 | 29 | 80.6 | 80.6 | 80.6 |
| 是 | 7 | 19.4 | 19.4 | 100.0 |
| 合計 | 36 | 100.0 | 100.0 | |

表八　文化

| | 頻率 | 百分比 | 有效百分比 | 累積百分比 |
|---|---|---|---|---|
| 有效否 | 22 | 61.1 | 61.1 | 61.1 |
| 是 | 14 | 38.9 | 38.9 | 100.0 |
| 合計 | 36 | 100.0 | 100.0 | |

表九　愛國主義

| | 頻率 | 百分比 | 有效百分比 | 累積百分比 |
|---|---|---|---|---|
| 有效否 | 33 | 91.7 | 91.7 | 91.7 |
| 是 | 3 | 8.3 | 8.3 | 100.0 |
| 合計 | 36 | 100.0 | 100.0 | |

**表十　戰爭相關**

| | 頻率 | 百分比 | 有效百分比 | 累積百分比 |
|---|---|---|---|---|
| 有效否 | 36 | 100.0 | 100.0 | 100.0 |

**表十一　軍事相關**

| | 頻率 | 百分比 | 有效百分比 | 累積百分比 |
|---|---|---|---|---|
| 有效否 | 36 | 100.0 | 100.0 | 100.0 |

在報導地域範圍方面，從「和」或者「均值」這兩個參數值的大小可以看出，這一時期，編輯部社論最為關注的地方顯然是中國，其次才是德國。相形之下，對於這兩個國家以外的其它地方來說，想要成為《德文新報》頭條社論的主角，著實並不容易。雖然從十九世紀中期開始，整個世界之間的交往愈加頻繁，國與國之間的聯繫日益緊密，但是，在今天已經被普遍討論的全球化問題的雛形，也就是關於世界格局這種世界性的問題，在那個時候顯然還並不能夠引起主編那瓦勒的足夠注意。從「眾數」這一參數來看，只有「中國相關」顯示為「一」，即只有對中國的報導超過了百分之五十。前文第三章曾提到在《中國漢子》（China und die Chinesen）一書的前言中，充滿著作者那瓦勒對中國的深情的表達，而本章中關於社論報導內容的資料統計則更加有力地證明了那瓦勒對中國的問題情有獨鍾。

將地域範圍的四個變數頻率百分比相加，得到的和為百分之一百一十一點一，較百分之百的僅僅超出百分之十一點一；或者將四個變數的「和」參數相加，所得結果為四十，僅比樣本數三十六多四，從樣本的反映情況來看，這樣的結果說明這一時期對不同國家和地區的報導重合率不高，也就是說，一篇社論中關於兩國或多國之間的問題出現率並不高，這說明那瓦勒主編時期的社論內容是以討論獨立對象為主的。

在報導內容方面，六個變數的「眾數」無一為一，也就是說，樣本所反映的社論報導內容沒有絕對偏向某一處的狀況。從「均值」或「和」參數來看，文化和政治內容在社論中佔有較大比重，經濟方面及宣揚愛國主義的內容也會時常出現，而戰爭和軍事問題則很難佔據社論頭條的位置。[17]將內容方面的六個變數頻率百分比相加，得到的和為百分之九十九點九，未能達到百分之百屬於計算中四捨五入的結果，因而可以看作百分之百；或者將此六個變數的「和」參數相加，所得結果三十六恰好與樣本數吻合。結合關於報導地域範圍的統計，這就表明，那瓦勒主編時期《德文新報》社論的討論內容呈現著相對獨立的狀況，即在大多數情況下，每篇社論只議一國一事。

圖五更加清晰地表明瞭那瓦勒主編時期的《德文新報》頭條社論在報導對象方面的偏向性：關於中國的討論佔據著八成左右的絕對優勢，相形之下，德國反而成了這份德文周刊頭條社論的配角。在內容方面，由於每期刊物必有商貿類專欄及經濟信息英文副刊，那瓦勒並沒有把特別多的頭條版面給予這方面內容。無論是從文化、政治內容佔據頭條的比例來看，還是從那瓦勒《中國漢子》（China und die Chinesen）一書的內容來看，經濟都是不能與文化和政治相抗衡的。尤其值得一提的是，關於文化方面的內容，不僅在頭條社論中出現頻率排在第一位，而且還佔據了小品專欄（Feuilleton）中近乎全部的版面。但是，僅就頭條社論總體來說，各類內容的比例相對較為均衡，沒有出現報導地域範圍中那麼巨大的差別。

---

17 對戰爭和軍事問題的討論是否能夠佔據報刊版面的重要位置，在客觀上與時事發生的狀況有關，但也能夠在一定程度上反映這一時期編輯部關注內容的偏向性。

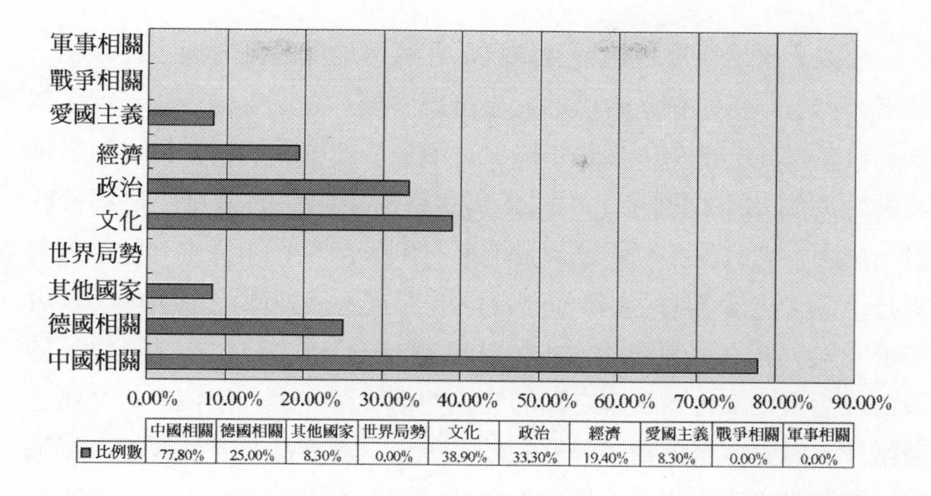


| | 中國相關 | 德國相關 | 其他國家 | 世界局勢 | 文化 | 政治 | 經濟 | 愛國主義 | 戰爭相關 | 軍事相關 |
|---|---|---|---|---|---|---|---|---|---|---|
| 比例數 | 77.80% | 25.00% | 8.30% | 0.00% | 38.90% | 33.30% | 19.40% | 8.30% | 0.00% | 0.00% |

**圖五 那瓦勒時期（1896-1898）社論各類內容出現頻率比較圖**

## （二）芬克前期（1899-1913）

一八九九年芬克接手主編《德文新報》之後，除了前文論述的一系列改革之外，在每期刊發的編輯部社論方面也與那瓦勒主編時期有所不同。首先，那瓦勒時期的社論篇數一般為一篇，而芬克時期則增加到兩至三篇，甚至更多。這一方面與刊物本身的版面數增多、規模擴大有關，更重要的是這尤其顯示了編輯部對於社論的重視提高了。那麼，這對本文以社論為樣本探討該報的報導偏向性就更為有利。

**表十二 統計量**

| | 中國相關 | 德國相關 | 其它國家 | 世界格局 | 政治 | 經濟 | 文化 | 愛國主義 | 戰爭相關 | 軍事相關 |
|---|---|---|---|---|---|---|---|---|---|---|
| N 有效 | 180 | 180 | 180 | 180 | 180 | 180 | 180 | 180 | 180 | 180 |
| 缺失 | 0 | 0 | 0 | 0 | 0 | 0 | 0 | 0 | 0 | 0 |
| 均值 | .65 | .41 | .28 | .03 | .69 | .32 | .14 | .03 | .03 | .09 |
| 眾數 | 1 | 0 | 0 | 0 | 1 | 0 | 0 | 0 | 0 | 0 |
| 和 | 117 | 74 | 51 | 6 | 124 | 57 | 25 | 5 | 6 | 17 |

根據表十二所展現的統計結果，在報導地域範圍方面，從「和」或者「均值」這兩個參數值的大小可以看出，芬克主編時期，編輯部社論最為關注的地方依然是中國，德國只能繼續屈居第二位。但與那瓦勒時期頗為不同的是，中國作為報導對象的絕對優勢已略遜於往日，德國、尤其是中德兩國以外的其它國家出現在頭條中的頻率大有提升。二十世紀初時，「歐洲在全球的霸權不僅在政治領域……表現得很明顯，而且在經濟和文化領域也表現得十分突出」[18]，無論是經濟、政治還是文化，各國之間的交流與衝突都在邁入這個世紀之後逐漸增多，然而，日俄戰爭最終的結果，土耳其革命及各殖民地、半殖民地的騷動等牽動世界多國神經的大事都是值得注意的[19]，是這種霸權受到挑戰的開始，也是世界格局逐漸聚攏的先兆。人類社會進入二十世紀是全球化開始的界點，二十世紀初西方列強在中國的聚集就是最好的例證。這些都在《德文新報》的社論中體現了出來。雖然從「眾數」這一參數來看，依然只有「中國相關」顯示為「一」，但事實上，中國因素一統社論頭條的狀況正在被打破。

將地域範圍的四個變數頻率百分比相加，得到的和為百分之一百三十七點七，較百分之百超出百分之三十七點七，很顯然，報導對象的重合率在這一時期大大增長，不同國家和地區越來越經常的成為同一篇社論的主角。將德國相關、其它國家和世界局勢三個變數的頻率百分比相加，所百分之七十二點七的結果更有力地印證了社論報導對象的逐漸廣泛和中國絕對優勢的失去：有七成以上的樣本包含了中國以外的國家，有三成以上樣本的報導對象涉及中德兩國之外的其它國

---

18 斯塔夫裏阿諾斯撰，董書慧等譯：《全球通史：從史前到21世紀》(北京市：北京大學出版社，2005年，第7版)，下冊，頁625。

19 斯塔夫裏阿諾斯，董書慧等譯：《全球通史：從史前到21世紀》(北京市：北京大學出版社，2005年，第7版)，下冊，頁625。

家和世界局勢。另外，主編芬克在一九〇二年末的徵訂啟事中提到：「《德文新報》一八九九年進行了重組和調整。在此之前的報導重點，多側重中國及中國社會發展情況，而忽略了諸如日本、菲律賓、暹羅及英屬海峽殖民地等其它東亞地區。重組後的《德文新報》擁有大量員工，遍佈上述國家及東亞其它地區，因此，現在的《德文新報》能夠為讀者提供更多的新聞內容。」[20]由此看來，新聞業務方面的進步也是促成改變的原因之一。

在報導內容方面，「文化相關」的變數失去了原有的地位，政治方面的內容佔據了絕對的領先位置，並成為報導內容中「眾數」唯一為一的變數，也就是說，只有政治內容在樣本中出現的頻率超過了百分之五十，達到百分之六十九，成為這一時期報導偏向性的答案。尤其值得注意的是，經濟方面的內容不再僅僅限於各類信息的報告，社論中顯然增加了對經濟問題的關注和討論。同樣是在一九〇二年末的徵訂啟事中，主編芬克寫道：「今後本報將比從前更加重視經濟問題。」[21]顯然，芬克將承諾兌現的行動在分析資料中得到了肯定。[22]

雖然，愛國主義的話題從來不會在《德文新報》的頭條社論中擁

20 Der Ostasiatische Lloyd. 5. Dezember 1902, S.985.

21 Der Ostasiatische Lloyd. 5. Dezember 1902, S.985.

22 事實上，除去統計中存在的誤差，經濟內容出現頻率可能會更高。這與對樣本社論報導內容所屬分類的界定有關。例如，一九〇一年十一月八日第十五年四十五期頭條社論《典押海關》（Die verpfändetenSeezölle）一文，從主編芬克的立場來看，這或許更偏向於一個與「債務」（die Anleihen）、「泊船費」（die Tonnengelder）、「收益」（der Ertrag）、「收入來源」（die Einnahmequelle）等經濟利益相關的問題，但對於中國而言，這毫無疑問是國家主權喪失的表現之一，很明顯地屬於政治範疇。當然，芬克也不可能不清楚這一明顯的經濟問題實際上也是中國的政治問題。根據文中對經濟和政治兩方面都有論述這一事實，筆者將該文的內容歸類為政治和經濟兩方面。必須承認，筆者主觀方面的這種歸類應當也是政治內容的比例比經濟內容高出許多的原因，而這種情況是否也會為芬克所認同，已無從考證。不得不承認，這是筆者對報刊內容進行定量分析的過程中難以圓滿解決的問題。

有很高的出場率，但是，這一主題的相關文章在該報發展的每個時期都必然時常出現在頭條的位置上。在近代德國歷史中，愛國主義這一因素從來都擁有令人關注的地位，德國報業也一直在某種程度上帶有愛國主義的特徵，或者可以說是一種傳統。

日俄戰爭無疑是十九世紀末二十世紀初歐洲在全球的霸權受到的首次大挑戰的標誌，即使中國不在其中，即使德國人站在局外，德國報刊也無法避開對此事的關注，這就使得中國和德國在沒有捲入戰爭的時期，《德文新報》頭條社論的主要報導內容中依然為戰爭留下了版面：不知道這是不是一種預言，即更大的戰爭就要來臨。在這一時期，軍事類內容佔據頭條位置的機會漸多，並超過了戰爭的份額，這更加讓人相信大規模的戰爭正在步步緊逼，以至於《德文新報》願意拿出最重要的版面位置用以討論和分析各國軍備的情況。

在報導內容方面，六個變數頻率百分比相加得到百分之一百三十的結果，意味著這一時期大事件中各個方面內容之間有了愈加緊密的關係。例如，一九〇一年九月二十七日十五年三十九期頭條《戰爭賠款問題》（ZurFrage der Kriegsentschädigung），直接涉及政治和經濟兩個方面，而並非一方導致另一方。很明顯，進入二十世紀，在主編芬克的帶領下，《德文新報》的報導內容呈現出更加寬闊的視野，像那瓦勒時期那樣每篇社論只議一國一事的情況大大減少。

圖六將以上論述更加直觀地表現出來。雖然「中國相關」和「政治」兩個變數的頻率百分比都在百分之六十至百分之七十之間，但較之於前一時期卻有著不同的意義：就報導對象來說，是趨於均衡，但報導內容的偏向顯然趨於失衡。這在一定程度上必然與時事的發生具有偶然性和不可控性有關，但更重要的意義在於，這樣的變化揭示了芬克主編時期《德文新報》在報導偏向上的變化：芬克將目光放到了更廣闊的全世界範圍內，將注意力轉向了文化以外的方面。

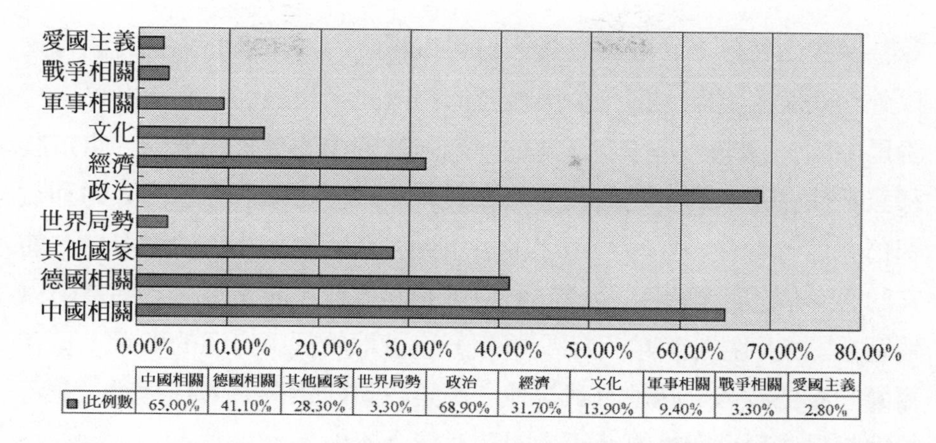


| | 中國相關 | 德國相關 | 其他國家 | 世界局勢 | 政治 | 經濟 | 文化 | 軍事相關 | 戰爭相關 | 愛國主義 |
|---|---|---|---|---|---|---|---|---|---|---|
| ■ 比例數 | 65.00% | 41.10% | 28.30% | 3.30% | 68.90% | 31.70% | 13.90% | 9.40% | 3.30% | 2.80% |

**圖六　芬克前期（1899-1913）社論各類內容出現頻率比較圖**

# 五　討論

通過資料分析，可以明確得出結論：一九一四年世界大戰爆發之前的《德文新報》雖然以「遠東地區德國人利益之音」為辦報宗旨，但從報導內容上來說，其分量最重的頭條編輯部社論最為關注的卻是中國問題，而沒有出現向德國一邊倒的狀況。《德文新報》在中國編輯出版，因而該報將中國問題作為自己關注的焦點是非常自然的事情，就此看來，該報在報導內容上是履行了報刊本身的職責。那麼，前面所提出的第一個假設應該不能成立。

然而，必須注意的是，該報宣稱所要維護的遠東地區德國人的利益，其中最重要的內容便是德國人的在華利益。那麼，對中國的關注就是以一種間接的方式直接為德國人利益服務了。無論是那瓦勒時期還是芬克時期，關於中國的海關、郵政改革、道路交通、對外貿易、對外政策、財政改革等諸多政治經濟方面的問題，都是《德文新報》一定會放在頭條位置上進行討論的內容。關於這一點，筆者未能找到較為客觀的統計方法進行論證，但可以肯定的是，表面上是討論德國以外的問題，實際上卻極少與彼時的德國完全沒有利益衝突關係，無論是中國、日本、菲律賓還是歐洲列強行列中的英國或俄國，當這些國家被放在頭條的主角位置上時，其背後大多隱藏著與德國人的利益糾葛，這一點在一九〇〇年之後表現得尤為明顯。那麼，實際上，前文的第一個假設雖不完全成立，但確有其道理。應當說，宣稱為遠東地區德國人利益服務的《德文新報》忠實地履行了自己的職責，但在報導內容上沒有一味地重我排他，而是以新聞選擇原則為基礎，並巧妙地將這些報導與維護德國人的利益結合起來。

但是，前文也提到，有歷史文獻中認為：「在中國的德國人機關報《德文新報》容許相差很大的見解發表出來，並且還轉載從其它報刊意見互相分歧的文章。它在對評論整個東亞地區和預斷世界政治時，一般來說是慎重的。」[23]這樣的論斷又該怎樣解釋呢？在經過了一系列分析之後，不得不承認這一概括著實既客觀又準確。一九〇三年一月九日第十七年二期頭條社論《中國局勢》（Zur Lage in China）一文，以中文報刊《新聞報》（Sin-Wan-Pao）[24]報導榮祿復職一事引出英文《字林西報》（North-China Daily News）對與此事緊密相關的中國政局的論述，並就此進行分析、發表看法，最後認為，「《字林西報》在這件事上的態度過分誇張，並且在某些細節上也不完全正確。」[25]正如《黃禍論》中所言，《德文新報》不僅從不故意避免將不同立場的觀點呈現出來，而且經常將其它主要中外文報刊對於重大事

23 H·哥爾維策爾：《黃禍論》（北京市：商務印書館，1964年），頁173。

24 《新聞報》（Sin Wan Pao）為近代上海著名中文報刊，清光緒十九年正月初一日，即公元一八九三年二月十七日正式創刊。聘前《申報》副主筆、《滬報》主筆蔡爾康為該報主筆。在彼時與《申報》齊名。孫慧編選：〈《新聞報》創辦經過及其概況〉，《檔案與史學》2002年第5期，頁3-8。

25 Der Ostasiatische Lloyd. 9. Januar 1903, S.67-68.

件的意見和看法放在社論中進行討論，無論支持還是反對，總會為自己支持的觀點呈上論據。

另外，即使是對本報刊載內容進行回饋的讀者來信，編輯部也會選擇有代表性的觀點放在社論中進行討論。為此，《德文新報》還專設「讀者投書」（Sprechsaal）[26]專欄，不定期選登讀者來信，並作出回覆。一八九九年十月二十八日第十三年五十六期「讀者投書」專欄中，在編者按部分，編輯將這位原來信的讀者稱為「本報的老朋友」，並這樣寫道：「我們的老朋友希望將其詩作發表在《德文新報》上，雖然編輯部對其詩歌所表達的內容並不能同意，但還是滿足這位讀者的願望。」[27]這樣的情況並非個案，而是《德文新報》在編輯方面的一貫作風。由此來看，前文的第二個假設，即認為「在報導的論述傾向方面，《德文新報》刊載的文章明顯呈現出褒揚本國、掩飾本國錯誤或弱點、批評他國的態度」，這樣的說法不能成立。

現代報刊研究常常會通過對相關報導的寫作語言文本分析來展現報導傾向，但本部分併不涉及此項。第一，《德文新報》為德國人利益服務的傾向性非常明顯，這是被明確地寫在辦報宗旨中的。第二，該報社論的寫作語言也不適合用現代報刊文本分析的方法進行。關於這一點，依然與彼時德國報刊傳統有關。筆者在查考《德文新報》的過程中，可以很明確地看到，該報社論的標題一般以實題為主，即題目中呈現的即是文章中最主要的因素，當然，也有少數情況用諺語作比喻，例如，一八九九年八月十九日第十三年四十六期頭條社論以《池塘裏的梭子魚》（Der Hecht im Karpfenteich）為標題，討論的是日本在東亞的問題，這一標題實際是一句德國諺語，意指叫人不得安

26 Sprechsaal 是德國報刊中較為常見的專欄，是專門處理讀者來信，進行意見回饋的部門，是編輯部與讀者之間書面溝通的專欄。

27 Der Ostasiatische Lloyd. 28. Oktober 1899, S.993-1010.

寧的人或事物，這就巧妙地表達了編輯部的態度。在社論正文的寫作方面，該報卻完全體現了彼時德國報業盛行的解釋性新聞的手法，因此，當前常用的文本分析方法對於《德文新報》社論的德文文本分析難以適用。另外，本部分研究故意避開了針對原文的翻譯和解釋，即是希望儘量少地涉及報導細節。因為，對報導文本的解讀往往會導致相關問題的討論被歷史細節所吸引，並使論述產生非客觀的傾向性，而原本需要解決的問題卻被丟在一邊。

還要提及出現在《德文新報》一九〇三年年末徵訂啟事中的一句話：「今天，眾所週知，歐亞間海底電報業務使得本報報導全面、迅速、準確，得到公眾認可，打破了路透社的一家獨大。」[28]眾所週知，路透社在彼時新聞界的地位幾乎難以撼動，包括《德文新報》在內的大部分在華中外文報刊、甚至世界上許多國家的主要報刊都在採用路透社的電訊稿。從新聞業務的角度來講，即使是純消息的編發，也會包含傾向性，新聞人要表達自己的感情，往往並不需要形容詞，針對用以傳播的新聞事實材料進行適當的篩選就足以達到目的。當《德文新報》以自豪的口吻宣稱自己打破路透社的一家獨大局面時，該報並不忌諱自己不能同意路透社某些新聞觀點的鮮明立場。我們應當看到，這是新聞人在專業的層面上為業務取得進步而表達的單純情感。

## 六　結論

以上的內容分析對《德文新報》的報導內容作出了較為客觀的展現，至少，此時此刻，在對這份刊物的報導內容下定論的時候，是有資料統計和個案舉例的雙向論據支撐的。簡單地說，筆者同意《黃禍

28 Der Ostasiatische Lloyd. 11. Dezember 1903, S.929.

論》作者的描述，認為一八九六～一九一三年間的《德文新報》雖然有著明確的為本國僑民服務的傾向性，但其所報導內容是相對客觀的，是符合新聞業實踐規範和報導原則的。在英美新聞業近距離的包圍中，從報業發展的角度講，這份出自德國人的報刊卻體現出了與德國本土報業頗為不同的辦報理念。有理由相信，在芬克這位「理想的新聞人才」的帶領下，「《德文新報》在當時各種客報之中，是甚占勢力的。」[29]

那麼，更加令人期待的還有下一個階段：當世界大戰最終不可避免地降臨，《德文新報》在戰時帶給我們的將是怎樣的內容？在本章結束與下一章開始之間，是為想像留下的空白。

29 上海通社：《舊上海史料彙編》（北京市：北京圖書館出版社，1998年），頁318。

中國近代報刊研究叢書　A0300002

# 德文新報研究（1886-1917）　上冊

作　　者　牛海坤
責任編輯　蔡雅如
發 行 人　陳滿銘
總 經 理　梁錦興
總 編 輯　陳滿銘
副總編輯　張晏瑞
編 輯 所　萬卷樓圖書股份有限公司
排　　版　林曉敏
印　　刷　百通科技股份有限公司
封面設計　斐類設計工作室

出　　版　昌明文化有限公司
桃園市龜山區中原街 32 號
電話 (02)23216565
發　　行　萬卷樓圖書股份有限公司
臺北市羅斯福路二段 41 號 6 樓之 3
電話 (02)23216565
傳真 (02)23218698
電郵 SERVICE@WANJUAN.COM.TW
大陸經銷
廈門外圖臺灣書店有限公司
　電郵 JKB188@188.COM

ISBN 978-986-93170-0-9
2016 年 5 月初版
定價：新臺幣 260 元

如何購買本書：
1. 劃撥購書，請透過以下郵政劃撥帳號：
　帳號：15624015
　戶名：萬卷樓圖書股份有限公司
2. 轉帳購書，請透過以下帳戶
　合作金庫銀行　古亭分行
　戶名：萬卷樓圖書股份有限公司
　帳號：0877717092596
3. 網路購書，請透過萬卷樓網站
　網址　WWW.WANJUAN.COM.TW
大量購書，請直接聯繫我們，將有專人為您服務。客服：(02)23216565 分機 10

如有缺頁、破損或裝訂錯誤，請寄回更換


**國家圖書館出版品預行編目資料**

德文新報研究(1886-1917) / 牛海坤著. -- 初版. -- 桃園市 : 昌明文化出版 ; 臺北市 : 萬卷樓發行, 2016.05
　冊 ;　公分. -- (中國近代報刊研究叢書)
ISBN 978-986-93170-0-9(上冊 : 平裝). --
1.報紙 2.德語 3.上海市
059.92　　105007559